中华人民共和国国家标准

针织设备工程安装与质量验收规范

Code for installation and quality acceptance
of knitting equipment engineering

GB/T 51089 - 2015

主编部门：中 国 纺 织 工 业 联 合 会
批准部门：中华人民共和国住房和城乡建设部
施行日期：2 0 1 5 年 1 0 月 1 日

中国计划出版社

2015 北 京

中华人民共和国国家标准
针织设备工程安装与质量验收规范
GB/T 51089-2015

☆

中国计划出版社出版

网址：www.jhpress.com

地址：北京市西城区木樨地北里甲 11 号国宏大厦 C 座 3 层

邮政编码：100038　电话：（010）63906433（发行部）

新华书店北京发行所发行

三河富华印刷包装有限公司印刷

850mm×1168mm　1/32　2.875 印张　71 千字

2015 年 7 月第 1 版　2015 年 7 月第 1 次印刷

☆

统一书号：1580242·685

定价：18.00 元

版权所有　侵权必究

侵权举报电话：（010）63906404

如有印装质量问题，请寄本社出版部调换

中华人民共和国住房和城乡建设部公告

第 732 号

住房城乡建设部关于发布国家标准
《针织设备工程安装与质量验收规范》的公告

现批准《针织设备工程安装与质量验收规范》为国家标准,编号为 GB/T 51089—2015,自 2015 年 10 月 1 日起实施。

本规范由我部标准定额研究所组织中国计划出版社出版发行。

中华人民共和国住房和城乡建设部

2015 年 2 月 2 日

前　　言

本规范是根据《住房城乡建设部关于印发 2013 年工程建设标准规范制订修订计划的通知》（建标〔2013〕6 号）的要求，由国家纺织机械质量监督检验中心会同有关单位共同编制完成的。

本规范在编制过程中，编制组根据我国针织行业发展现状和设备特点，认真总结了多年来我国针织设备的安装和运行经验，广泛征求了国内有关单位的意见，经反复讨论、修改，最后经审查定稿。

本规范共分 10 章，主要内容包括总则、基本规定、通用项目的安装要求、准备部分主要设备的安装、纬编织造部分主要设备的安装、经编织造部分主要设备的安装、针织印染部分主要设备的安装、其他专用设备的安装、设备的试运转和安装工程验收。

本规范由住房城乡建设部负责管理，由中国纺织工业联合会负责日常管理工作，由国家纺织机械质量监督检验中心负责具体技术内容的解释。本规范在实施过程中，如发现需要修改和补充之处，请将意见或建议寄至国家纺织机械质量监督检验中心（地址：江苏省无锡市惠山经济开发区生科路 7 号，邮政编码：214177，电子邮箱：wxfjbzh@163.com），以供今后修订时参考。

本规范主编单位、参编单位、参加单位、主要起草人和主要审查人：

主 编 单 位：中国纺织工业联合会

　　　　　　　国家纺织机械质量监督检验中心

参 编 单 位：常州市武进五洋纺织机械有限公司

　　　　　　　惠安金天梭精密机械有限公司

　　　　　　　常德纺织机械有限公司

·1·

飞虎科技有限公司

常州市第八纺织机械有限公司

绍兴县清扬机械有限公司

中国纺织机械协会

常州老三集团有限公司

参加单位:常熟市国光机械有限公司

主要起草人:李瑞芬　尤薇娜　赵　启　严中华　丁伟铭
钱锴鑫　徐亚明　杨佺武　朱建静　谢雪松
孙凉远　陈国标　顾振刚　姚孟利　杨林华
程　凌　陈　伟　李立平　单永海　李晓敏
顾文洁

主要审查人:张世平　吴玉华　冯勋伟　夏风林　王　智
傅瑞华　盛子九　吴启亮　徐向红　时永和
戴定立　张庆生　亓国红

目　　次

1 总　　则 ……………………………………………… （1）

2 基本规定 ……………………………………………… （2）

  2.1 设备基础、垫铁 …………………………………… （2）

  2.2 设备的开箱验收与贮存 ………………………… （3）

3 通用项目的安装要求 ……………………………… （4）

  3.1 机械部分 …………………………………………… （4）

  3.2 管道、控制阀、仪器、仪表部分 ………………… （5）

  3.3 电气部分 …………………………………………… （6）

  3.4 清洁部分 …………………………………………… （7）

  3.5 润滑部分 …………………………………………… （7）

4 准备部分主要设备的安装 ……………………… （8）

  4.1 络筒机 ……………………………………………… （8）

  4.2 整经机 ……………………………………………… （9）

5 纬编织造部分主要设备的安装 ……………… （11）

  5.1 圆型纬编机 ……………………………………… （11）

  5.2 袜机 ………………………………………………… （13）

  5.3 纬编无缝内衣机 ………………………………… （15）

  5.4 横机 ………………………………………………… （18）

6 经编织造部分主要设备的安装 ……………… （22）

  6.1 特里科经编机 …………………………………… （22）

  6.2 拉舍尔经编机 …………………………………… （23）

  6.3 轴向经编机 ……………………………………… （32）

  6.4 缝编机 ……………………………………………… （35）

7 针织印染部分主要设备的安装 ……………… （37）

· 1 ·

7.1 针织开幅丝光机 ……………………………… （ 37 ）

7.2 水洗箱 …………………………………………… （ 38 ）

7.3 染色机 …………………………………………… （ 39 ）

7.4 印花机 …………………………………………… （ 39 ）

7.5 圆网烘燥机 ……………………………………… （ 39 ）

7.6 呢毯预缩整理机 ………………………………… （ 41 ）

7.7 圆筒定形机 ……………………………………… （ 41 ）

7.8 拉幅定形机 ……………………………………… （ 42 ）

8 其他专用设备的安装 ……………………………… （ 44 ）

8.1 验布机 …………………………………………… （ 44 ）

8.2 绒类织物剖幅机 ………………………………… （ 44 ）

8.3 缝头机 …………………………………………… （ 45 ）

8.4 缝盘机 …………………………………………… （ 46 ）

9 设备的试运转 ……………………………………… （ 47 ）

9.1 一般规定 ………………………………………… （ 47 ）

9.2 纬编织造部分的通用要求 ……………………… （ 48 ）

9.3 经编织造部分的通用要求 ……………………… （ 48 ）

9.4 主要设备的试运转要求 ………………………… （ 49 ）

10 安装工程验收 …………………………………… （ 60 ）

本规范用词说明 ……………………………………… （ 61 ）

引用标准名录 ………………………………………… （ 62 ）

附:条文说明 ………………………………………… （ 63 ）

Contents

1 General provisions .... (1)

2 Basic requirements .... (2)

  2.1 Equipment foundations and block .... (2)

  2.2 Unpacking acceptance and storage of equipment .... (3)

3 Installation requirements of general projects .... (4)

  3.1 Mechanical parts .... (4)

  3.2 Pipeline, control valve and instrument parts .... (5)

  3.3 Electrical parts .... (6)

  3.4 Cleaning parts .... (7)

  3.5 Lubricating parts .... (7)

4 Installation for main equipment of preparing parts ...... (8)

  4.1 Winding machines .... (8)

  4.2 Warping machines .... (9)

5 Installation for main equipment of weft

  knitting parts .... (11)

  5.1 Circular knitting machines .... (11)

  5.2 Hosiery machines .... (13)

  5.3 Weft knitted seamless underwear machines .... (15)

  5.4 Flat knitting machines .... (18)

6 Installation for main equipment of warp

  knitting parts .... (22)

  6.1 Tricot warp knitting machines .... (22)

  6.2 Raschel warp knitting machines .... (23)

  6.3 Axial warp knitting machines .... (32)

6.4 Stitch bonding machines .... (35)

7 Installation for main equipment of knitting
and dyeing parts .... (37)

7.1 Knitted open-width mercerizing machines .... (37)

7.2 Washers .... (38)

7.3 Dyeing machines .... (39)

7.4 Printing machines .... (39)

7.5 Rotary screen dryers .... (39)

7.6 Blanket sanforizing machines .... (41)

7.7 Drum setting machines .... (41)

7.8 Setting stenters .... (42)

8 Installation for other special equipment .... (44)

8.1 Fabric inspecting machines .... (44)

8.2 Fabric slitting machines .... (44)

8.3 Socks head sewing machine .... (45)

8.4 Dial linking machine .... (46)

9 Test run of equipment .... (47)

9.1 General requirements .... (47)

9.2 General requirements of weft knitting parts .... (48)

9.3 General requirements of warp knitting parts .... (48)

9.4 Requirements of test run for main equipment .... (49)

10 Installation acceptance .... (60)

Explanation of wording in this code .... (61)

List of quoted standards .... (62)

Addition: Explanation of provisions .... (63)

• 4 •

1 总　　则

1.0.1 为了统一针织设备工程安装及质量验收的技术要求,保证设备安装的质量和操作的规范化,制定本规范。

1.0.2 本规范适用于新建、改建和扩建的针织工厂的设备工程安装与质量验收。

1.0.3 针织设备工程安装与质量验收除应符合本规范外,尚应符合国家现行有关标准的规定。

2 基 本 规 定

2.1 设备基础、垫铁

2.1.1 针织设备基础的施工质量应符合设计要求,并应有验收资料和记录。

2.1.2 针织设备基础强度应符合设计要求,并应达到设计的混凝土立方体抗压强度标准值的 75％以上,应能承载机床造成的静态和动态负荷;地面应平整,不得有裂纹、起壳等缺陷。

2.1.3 针织设备基础的位置、尺寸技术要求和检验方法应符合表 2.1.3 的规定。

表 2.1.3 针织设备基础的位置、尺寸技术要求和检验方法

序号	检验项目	技术要求(mm)	检验方法
1	基础纵、横坐标位置偏差	±10	用卷尺或激光干涉仪检测
2	单台基础平面标高偏差	−10～0	用钢直尺或水准仪检测

注:基础纵、横坐标位置偏差沿纵、横两个方向测量,并应取其最大值。

2.1.4 针织设备基础弹线技术要求和检验方法应符合表 2.1.4 的规定。

表 2.1.4 针织设备基础弹线技术要求和检验方法

序号	检验项目		技术要求	检验方法
1	全机中心线地桩基准点偏差		≤ϕ1.0mm	用钢直尺检测
2	墨线宽度		≤1.0mm	用钢直尺检测
3	墨线直线度	线长≤20m	±0.5mm	将钢丝线对准墨线两端拉线,用卷尺检测
4		20m＜线长≤50m	±1.0mm	
5		线长＞50m	±1.5mm	
6	基础坐标线(十字线)垂直度		≤5.0/1000	用勾股弦法,用卷尺检测

· 2 ·

2.1.5 找正调平针织设备用的垫铁应符合现行国家标准《机械设备安装工程施工及验收通用规范》GB 50231 的有关规定，并应符合设备相关技术文件的要求。

2.2 设备的开箱验收与贮存

2.2.1 针织设备安装前应根据装箱单、合同等，由供需双方共同开箱检查，对检查内容应进行记录，并应双方签字。开箱验收时应符合下列规定：

 1 应核对针织设备的名称、型号和规格；

 2 应清点箱号、箱数，检查包装情况；

 3 应清点随机技术文件；

 4 应按装箱清单检查确认零部件、备件、专用工具等的数量、规格，并应检查表面有无损坏或锈蚀等；

 5 应记录的其他事项；

 6 应做好开箱后的交接手续。

2.2.2 针织设备开箱验收的零件保护与贮存应符合下列规定：

 1 针织设备开箱验收后应注意保护，应按设备的性质分类保管，并应及时安装，且所有设备、零件及专用工具不应有变形、损坏、锈蚀或丢失；

 2 从开箱起直到工程验收，整个安装过程应具备良好的防雨及通风贮存条件，并应符合卫生和环境保护的要求。

· 3 ·

3 通用项目的安装要求

3.1 机 械 部 分

3.1.1 设备开箱验收后,应按同机台的箱号进行安装。

3.1.2 设备搬运和吊装时,吊装点应按设备或包装箱的标识位置设置,并应采取不损伤设备的保护措施。

3.1.3 设备运送到安装位置后,应在起重提升装置的辅助下安装机脚和减震装置。

3.1.4 装配前,应将装配零件的安装面清理洁净,零部件表面有锈蚀时应进行处理,并应按安装顺序装配。

3.1.5 对安装后不易拆卸、检查、修理的油箱等的密封性应进行渗漏试验。

3.1.6 针织设备中轴承、齿轮、传动带等传动机构安装的技术要求和检验方法应符合表3.1.6的规定。

表 3.1.6 轴承、齿轮、传动带安装的技术要求和检验方法

序号	项 目		技术要求	检验方法
1	轴承	转动要求	应转动灵活	目测、手感
2		轴向游隙	≤0.03mm	用千分表检测
3	齿轮啮合	端面加工齿轮平齐偏差	≤1.00mm	用钢直尺检测
4		端面不加工齿轮平齐偏差	≤1.50mm	用钢直尺检测
5		齿轮啮合间隙	应合理,传动时不得有卡死或顿挫现象	用塞尺检测
6	三角带、齿形带、平带等各类传动带的安装		应张紧适当、位置正确,应无跑偏现象	手感、目测、耳听

· 4 ·

3.1.7 针织设备的防护设施、扶手、防护栏杆、走台等安装应符合现行国家标准《纺织机械 安全要求 第1部分：通用要求》GB/T 17780.1、《纺织机械 安全要求 第4部分：纱线和绳索加工机械》GB/T 17780.4、《纺织机械 安全要求 第5部分：机织和针织准备机械》GB/T 17780.5 和《纺织机械 安全要求 第6部分：织造机械》GB/T 17780.6 的有关规定。

3.1.8 起吊设备不得在设备的上端横梁或轴件上；设备吊装时，吊绳应通过床身下方或系结在床身上，吊绳不应接触到设备的其他机件。

3.1.9 设备安装通用要求除应符合本规范第3.1.1条～第3.1.8条的规定外，还应符合现行国家标准《机械设备安装工程施工及验收通用规范》GB 50231 的有关规定。

3.2 管道、控制阀、仪器、仪表部分

3.2.1 各类管道及管接件内壁应无异物，连接部位应紧密，安装定位后表面应无缺陷。

3.2.2 各控制阀的安装应符合下列规定：

    1 安装位置应准确，且应满足操作、维修的要求；

    2 安装方向应正确，连接应同心、垂直、平整、紧密。

3.2.3 仪器、仪表的安装应符合下列规定：

    1 安装位置应准确，且应满足维修的要求；

    2 仪器、仪表应在检定合格有效期内；

    3 采用的计量和检测器具、设备、仪器，其精度等级应满足被检测项目的精度要求。

3.2.4 管道、仪器、仪表部分安装应符合设计要求，并应与土建、其他专业施工相配合。

3.2.5 针织设备上的液压、气动和润滑系统的管道安装应符合现行国家标准《机械设备安装工程施工及验收通用规范》GB 50231 中的有关规定。

3.3 电 气 部 分

3.3.1 电气控制柜安装应牢固,安装位置应满足操作和检修的要求,且应有良好的散热条件。

3.3.2 电气控制柜防护等级不应低于 IP54 的防护等级,电器控制柜、电器箱、电器屏等外表面应密封良好。

3.3.3 电气箱体内、外部应干净整洁,标识应正确、清晰、明显。

3.3.4 设备的金属结构体上应有可靠接地点,接地应可靠,并应有接地标志。

3.3.5 电气设备的安全性能应符合现行国家标准《机械电气安全 机械电气设备 第 1 部分:通用技术条件》GB 5226.1 的有关规定。

3.3.6 电气元器件安装应符合下列规定:

　　1 电气元器件的可动部分应灵活可靠,不应有异热、异响、磁滞等现象;

　　2 电气元器件所处环境的温、湿度应符合使用说明书的要求;

　　3 电气元器件的安装应牢固,接线应可靠。

3.3.7 电机的安装应符合下列规定:

　　1 空载、满载电流、电压应符合电机的设计要求;

　　2 接线柱与导线的连接应准确、牢固;

　　3 电机的安装应牢固、规范,应满足拆装和维修的要求;

　　4 电机的温升应正常。

3.3.8 安全保护装置应安全可靠,危险部位应设置安全防护标志。

3.3.9 显示屏、信号显示器应显示准确。

3.3.10 指示灯、传感器、报警器、自停装置、控制按钮、急停装置等应灵敏、可靠,操作应方便,按钮颜色应符合要求。

3.4 清 洁 部 分

3.4.1 吸尘风口、吸尘风道、吹风口安装位置应符合相关技术文件的规定。

3.4.2 吸尘风管应连接紧密。

3.4.3 安装场地、机台主要零部件应清洁,安装完毕后安装场地应清扫。

3.5 润 滑 部 分

3.5.1 传动部件应润滑良好。

3.5.2 油路系统应畅通,无阻塞、无漏油现象。

4 准备部分主要设备的安装

4.1 络 筒 机

4.1.1 络筒机的安装应符合下列规定：

　　1 相邻槽筒紧定螺钉位置应交叉90°；

　　2 槽筒轴开档定位应一致；

　　3 相邻偏心轮位置应交叉90°；

　　4 断纱探杆动作应符合握臂落下、探杆抬起，以及握臂抬起、探杆落下的要求；

　　5 纱管插管与导纱板口位置应在同一中心线上。

4.1.2 络筒机安装的技术要求和检验方法应符合表4.1.2的规定。

表4.1.2 络筒机安装的技术要求和检验方法

序号	项　目		技术要求	检验方法
1	机架	车面纵向水平度	≤0.10/1000	用水平仪检测
2		车面横向水平度	≤0.06/250	用水平仪检测
3		车面全长水平度	≤0.20mm	用水平仪检测
4		左侧面全长直线度	≤0.30mm	拉线,用直尺检测
5	槽筒部件	槽筒轴纵向水平度	≤0.10/530	用水平仪和专用工具检测
6		槽筒轴横向水平度	≤0.20mm	用水平仪和专用工具检测
7		槽筒轴径向圆跳动	≤0.08mm	用百分表检测
8		槽筒径向圆跳动	≤0.15mm	用百分表检测
9	断纱自停	断纱自停箱之间距离	±1.00mm	用卷尺检测
10		纱管顶端与导纱板口距离	≥80.0mm	用直尺检测

・8・

4.2 整 经 机

4.2.1 分段整经机的安装应符合下列规定：

　　1 经轴装卸动作应准确、灵敏，并应无卡阻现象；

　　2 测速罗拉应转动灵活；

　　3 加油装置带油辊应转动灵活，速度无级调节应稳定、可靠；

　　4 张力罗拉应转动灵活，分经筘上、下移动应轻松、灵活；

　　5 纱架应安装牢固，X、Y、Z 方向应平直，不得歪斜；

　　6 静电消除功能应正常；

　　7 纱架筒管位置应正确，车头中心线与纱架中心线应在同一直线内；

　　8 分段整经机部件安装的技术要求和检验方法应符合表 4.2.1 的规定。

表 4.2.1　分段整经机部件安装的技术要求和检验方法

序号	部分	项　目	技术要求	检验方法
1	车头部件	装上经轴后，经轴上母线水平度	≤0.10/1000	用水平仪检测
2		测速罗拉径向圆跳动	≤0.03mm	用千分表检测
3	贮纱装置	各贮纱辊的平行度	≤1.50mm	用游标卡尺检测
4	张力罗拉部件	罗拉径向圆跳动	≤0.03mm	用千分表检测
5		罗拉上母线水平度	≤0.10/1000	用水平仪检测
6	纱架部件	纱架上相邻立管中心距	≤3.00mm	用钢直尺检测
7		每层张力器的高度差	≤3.00mm	吊线，用钢直尺检测
8		各张力器阻尼油位差的允许偏差	±0.50mm	用游标卡尺检测
9		筒子臂中心与张力器中心在同一垂直面内，其位置差	≤5.00mm	吊线，用钢直尺检测
10		纱架上张力器的进纱瓷眼高于纱筒中心距离	15.00mm～20.00mm	用钢直尺检测
11	静电消除棒	针尖与纱面的距离	1.50mm～2.00mm	用钢直尺检测

4.2.2 花经轴整经机的安装应符合下列规定：

1 花经轴两传动辊应转动灵活；

2 导纱针床的横移应轻松、无阻滞；

3 电磁制动器刹车片制动动作应迅速、可靠、平稳；

4 花经轴整经机部件安装的技术要求和检验方法应符合表4.2.2的规定。

表 4.2.2 花经轴整经机部件安装的技术要求和检验方法

序号	项 目	技术要求	检验方法
1	各摩擦辊径向圆跳动	≤0.20mm	用百分表检测
2	两摩擦辊平行度	≤0.20mm	用游标卡尺检测
3	导纱针板与摩擦辊的平行度	≤0.50/100	用塞尺检测
4	电磁制动器刹车片与电磁吸铁的间隙	0.30mm～0.40mm	用塞尺检测
5	横移轴横向移动动程	(15～150)mm±0.50mm	用游标卡尺检测

5 纬编织造部分主要设备的安装

5.1 圆型纬编机

Ⅰ 通用要求

5.1.1 圆型纬编机的安装应符合下列规定：

1 机架的安装应符合下列规定：

  1）机脚安装应到位，调节螺栓应紧固；

  2）电机至针筒齿轮、针盘齿轮各级传动应平稳、无异常声响；

  3）润滑部分的回油口应无漏油现象；

  4）安全护网应安装牢固。

2 编织部件的安装应符合下列规定：

  1）织针、沉降片应运动灵活；

  2）针筒应无损伤。

3 变速盘的扇形块应调节灵活，固定后不应松动。

4 卷取装置应平稳、可靠。

5 除尘装置应灵敏、可靠。

6 安全防护门的安装应对称、整齐，应满足操作的要求。

7 坏针、断针及失张自停器应灵敏、可靠。

8 各指示灯自停装置的电压不应大于 24V。

9 纱架部件的安装应稳固、可靠。

10 圆型纬编机外表面应平整、光滑、接缝平齐、缝隙均匀一致。

5.1.2 圆型纬编机安装的技术要求和检验方法应符合表 5.1.2 的规定。

· 11 ·

表 5.1.2　圆型纬编机安装的技术要求和检验方法

序号	项　　目	技术要求	检验方法
1	机脚台面水平度	≤0.03/1000	用水平仪检测
2	针筒齿轮相对三角安装面的端面圆跳动	≤0.10mm	用百分表检测
3	针筒齿轮和齿轮定位配合间隙	0.02mm～0.03mm	用塞尺检测
4	大小传动齿轮侧隙	0.08mm～0.10mm	用塞尺检测
5	传动轴安装就位后顶端径向圆跳动	≤0.10mm	用百分表检测
6	针筒座安装面端面圆跳动	≤0.03mm	用千分表检测
7	针盘安装面端面圆跳动	≤0.03mm	用千分表检测
8	固定螺钉下沉量	0.25mm～0.50mm	用塞尺检测
9	卷取装置安装面与圆型纬编机三叉平面间隙	≤0.20mm	用塞尺检测
10	卷取装置底座与大齿轮的同轴度	≤φ0.05mm	用千分表检测
11	圆型纬编机距周围纱架的距离	0.50mm～1.00mm	用卷尺检测

Ⅱ　单面圆型纬编机

5.1.3　单面圆型纬编机安装的技术要求和检验方法应符合表5.1.3的规定。

表 5.1.3　单面圆型纬编机安装的技术要求和检验方法

序号	项　　目	技术要求（mm）	检验方法
1	针筒外圆径向圆跳动	≤0.05	用千分表检测
2	针筒上端面的端面圆跳动	≤0.05	用千分表检测
3	沉降片外环径向圆跳动	≤0.05	用千分表检测
4	沉降片三角与针筒间隙	0.15～0.20	用塞尺检测
5	针筒与沉降片三角径向圆跳动	≤0.07	用百分表检测
6	织针三角与针筒间隙	0.15～0.25	用塞尺检测
7	导纱器下边缘与沉降片间隙	0.30～1.00	用塞尺检测
8	导纱器安装圈圆跳动	≤0.10	用百分表检测

12

Ⅲ　双面圆型纬编机

5.1.4 双面圆型纬编机安装的技术要求和检验方法应符合表5.1.4的规定。

表5.1.4　双面圆型纬编机安装的技术要求和检验方法

序号	项　　目	技术要求(mm)	检验方法
1	针筒外圆径向圆跳动	≤0.03	用千分表检测
2	针筒上端面的端面圆跳动	≤0.05	用千分表检测
3	针盘外圆径向圆跳动	≤0.05	用千分表检测
4	针盘上端面的端面圆跳动	≤0.05	用千分表检测
5	针盘、针筒口面同一位置间隙运转一周内变动量	≤0.04	用千分表检测
6	针盘、针筒同轴度	≤ϕ0.04	用千分表检测
7	针盘、针筒同步允差	≤0.08	用百分表检测
8	针筒与三角间隙	0.15～0.25	用塞尺检测
9	针盘与三角间隙	0.15～0.25	用塞尺检测
10	上、下护针板与针的距离	0.15～0.20	用塞尺检测
11	导纱器与针钩间距	≥0.15	用塞尺检测
12	导纱器与织针间的距离	≥0.50	用钢直尺检测

5.2　袜　　机

Ⅰ　通用要求

5.2.1 喂纱部件的安装应符合下列规定：

　　1 剪刀盘各工件表面应无毛刺；

　　2 剪刀剪线应轻快，并应无挂丝现象；

　　3 夹线器在调线时动作应准确、可靠，应该夹持时不应脱线，应该脱线时应脱线；

　　4 给纱机构的张力应平稳。

5.2.2 传动部件的安装应符合下列规定：

· 13 ·

1 齿轮的轴向间隙应满足设计要求；

2 离合器换向应轻便、无阻滞现象。

5.2.3 选针部件的安装应符合下列规定：

1 选针刀片动作应正确、灵活；

2 选针刀片与提花针齿径向接触时，应使提花针充分推入针槽内；

3 各选针刀片与提花针齿接触宽度不应少于针齿全宽的3/4。

5.2.4 编织部件的安装应符合下列规定：

1 各闸刀座与闸刀架的配合，在动程范围内进出应无阻滞现象，横向应无明显松动；

2 调换动作时，各闸刀进出应顺利，并应符合编织动作要求；

3 密度调节机构应平稳、可靠。

5.2.5 针槽应保持清洁，织针与针筒相互运动后，不应有明显的黑污。

5.2.6 各指示灯、自停装置电压不应大于24V。

5.2.7 袜机外表面应平整、光滑、接缝平齐、缝隙均匀一致。

Ⅱ 单针筒袜机

5.2.8 单针筒袜机安装的技术要求和检验方法应符合表5.2.8的规定。

表5.2.8 单针筒袜机安装的技术要求和检验方法

序号	项 目	技术要求	检验方法
1	机架安装面的平面度	≤0.03/500	用刀口直尺、塞尺检测
2	针筒外圆的径向圆跳动	≤0.05mm	用千分表检测
3	针筒的端面圆跳动	≤0.05mm	用千分表检测
4	剪刀盘的径向圆跳动	≤0.05mm	用千分表检测
5	剪刀盘的端面圆跳动	≤0.05mm	用千分表检测
6	针筒和剪刀盘同轴度	≤ϕ0.05mm	用千分表检测

· 14 ·

续表5.2.8

序号	项 目	技术要求	检验方法
7	针筒和剪刀盘口面同一位置间隙运转一周内变动量	≤0.04mm	用千分表检测
8	针筒和镶板的间隙	0.10mm～0.25mm	用塞尺检测
9	沉降片外环和三角的间隙	0.10mm～0.20mm	用塞尺检测

Ⅲ 双针筒袜机

5.2.9 双针筒袜机安装的技术要求和检验方法应符合表5.2.9的规定。

表5.2.9 双针筒袜机安装的技术要求和检验方法

序号	项 目	技术要求	检验方法
1	机架安装面的平面度	≤0.03/500	用刀口直尺、塞尺检测
2	针筒外圆的径向圆跳动	≤0.05mm	用千分表检测
3	针筒的端面圆跳动	≤0.05mm	用千分表检测
4	上、下针筒口面同一位置间隙运转一周内变动量	≤0.04mm	用千分表检测
5	上、下针筒的同轴度	≤ϕ0.05mm	用千分表检测
6	针筒外圆和镶板的间隙	0.08mm～0.20mm	用塞尺检测

5.3 纬编无缝内衣机

Ⅰ 通用要求

5.3.1 纬编无缝内衣机的安装应符合下列规定：

　　1 沉降片罩限位的安装应调整到位,沉降片罩的旋转应灵敏、可靠；

　　2 纱嘴、阀柱移动应灵敏、可靠,阀柱不应漏气；

　　3 刹车装置应灵敏、可靠；

　　4 坏针、断针及张力自停装置应灵敏、可靠；

· 15 ·

5 各指示灯自停装置电压不应大于 24V；

6 自动加油装置应雾化良好，并应无渗漏油现象；

7 织针、沉降片、哈夫针应运动灵活；

8 刀头与提花齿径向接触时，应使提花针充分推入针槽内；

9 选针装置应灵敏、可靠；

10 送纱装置应使纱线张力平稳；

11 导纱部件应稳固；

12 电子储纱装置应灵敏、可靠；

13 气路应畅通、无漏气，执行元件动作应正确到位。

5.3.2 纬编无缝内衣机安装的技术要求和检验方法应符合表5.3.2的规定。

表 5.3.2　纬编无缝内衣机安装的技术要求和检验方法

序号	项　　目	技术要求（mm）	检验方法
1	针筒底座与大盘的径向圆跳动	≤0.05	用千分表检测
2	针筒底座与大盘的端面圆跳动	≤0.05	用千分表检测
3	针筒底座与中盘的径向圆跳动	≤0.04	用千分表检测
4	针筒底座与中盘的端面圆跳动	≤0.05	用千分表检测
5	针筒底座与下盘的径向圆跳动	≤0.05	用千分表检测
6	针筒底座与下盘的端面圆跳动	≤0.05	用千分表检测
7	中盘三角与针筒底座的径向圆跳动	≤0.05	用千分表检测
8	下盘三角与针筒底座的径向圆跳动	≤0.07	用百分表检测
9	针筒底座与复位三角的端面圆跳动	≤0.07	用百分表检测
10	起针位提花片上下间隙	0.25～0.50	用塞尺检测
11	收针位提花片上下间隙	0.25～0.50	用塞尺检测
12	闸刀三角与针筒间隙	0.20～0.25	用塞尺检测
13	针筒外圆的径向圆跳动	≤0.05	用千分表检测
14	针筒上端面端面圆跳动	≤0.03	用千分表检测
15	针筒外圆与织针三角内圆间隙	0.15～0.40	用塞尺检测

· 16 ·

续表 5.3.2

序号	项 目	技术要求（mm）	检验方法
16	针筒与沉降片三角座的端面圆跳动	≤0.05	用千分表检测
17	针筒与沉降片三角座的径向圆跳动	≤0.05	用千分表检测
18	针筒与沉降片三角的径向圆跳动	≤0.05	用千分表检测
19	针筒与毛圈三角的径向圆跳动	≤0.05	用千分表检测
20	沉降片三角与针筒间隙	0.15～0.25	用塞尺检测
21	针筒与纱嘴环的径向圆跳动	≤0.15	用百分表检测
22	针筒与纱嘴环的端面圆跳动	≤0.15	用百分表检测
23	压针三角与针筒间隙	0.15～0.25	用塞尺检测
24	中盘三角与针筒间隙	0.15～0.25	用塞尺检测
25	针筒与下盘三角间隙	0.50～0.80	用塞尺检测

Ⅱ 无扎口纬编无缝内衣机

5.3.3 无扎口纬编无缝内衣机的安装应符合下列规定：

1 超花闸刀的安装应使闸刀起针曲线与针织起针曲线重叠，闸刀三角上、下应自如；

2 卷取装置储物筐的挡板应固定在储物筐上；

3 落布装置升降应平稳、可靠。

Ⅲ 有扎口纬编无缝内衣机

5.3.4 有扎口纬编无缝内衣机的安装应符合下列规定：

1 剪刀盘各工件表面应无毛刺；

2 剪刀剪线应轻快，并应无挂丝现象；

3 给纱机构的张力应平稳、均匀；

4 哈夫盘安装的技术要求和检验方法应符合表 5.3.4 的规定。

表 5.3.4 哈夫盘安装的技术要求和检验方法

序号	项 目	技术要求（mm）	检验方法
1	哈夫盘的端面圆跳动	≤0.10	用百分表检测

续表 5.3.4

序号	项　　目	技术要求(mm)	检验方法
2	针筒与针盘的同轴度	≤φ0.05	用千分表检测
3	针筒与针盘的平行度	≤0.08	用百分表检测
4	针筒与针盘的同步允差	≤0.06	用百分表检测

5.4　横　　机

Ⅰ　通用要求

5.4.1 横机的安装应符合下列规定：

1 针床座与机架安装应牢固、可靠。

2 编织部件的安装应符合下列规定：

1)各三角控制机构动作应正确、灵敏；

2)导向三角的安装应保证垫纱位置准确，左、右弯纱三角位置应对称；

3)挺针三角的安装应使织针在轨道内滑行顺畅；

4)织针运动应灵活。

3 机头运行时应平稳、无阻滞。

4 针床部件的安装应符合下列规定：

1)针床与齿口片结合应牢固，齿口部分应光滑；

2)前、后针床头口线(脱圈部位)应相互平行。

5 传动部件的安装应符合下列规定：

1)各传动件之间应运转灵活、无异常声响；

2)齿形带传动应平稳、无顿挫。

6 调梭控制装置的动作应灵活、可靠。

7 针床横移控制装置的动作应灵活、可靠。

8 密度调节装置的动作应正确、快速。

9 设备外表面应平整、光滑、接缝平齐、缝隙均匀一致。

5.4.2 横机安装的技术要求和检测方法应符合表 5.4.2 的规定。

表 5.4.2 横机安装的技术要求和检验方法

序号	项 目		技术要求		检验方法
1	机头部件	导轨垂直于针床安装面的平行度	≤0.08/1000		用百分表检测
2		导轨平行于针床安装面的平行度	≤0.05/1000		用百分表检测
3		导轨垂直于针床安装面平面的垂直度	≤0.1°		用角尺、塞尺检测
4		三角平面与针床面间隙	E1～E6	0.10mm～0.40mm	用塞尺检测
			E7～E18	0.10mm～0.35mm	
5		三角平面与针床平面间隙在全程范围内间隙差	≤0.15mm		用塞尺检测
6	针床部件	针床头口（脱圈部位）垂直于织针运动方向的直线度	≤0.08/1000		用百分表检测
7		针床座两个平面安装部位的平面度	≤0.04/1000		用平尺和塞尺检测
8		针床与针床座间隙	0～0.10mm		用塞尺检测
9	导纱器与闭合针舌的距离		0.50mm～1.00mm		用塞尺检测

Ⅱ 电脑横机

5.4.3 电脑横机的安装应符合下列规定：

1 电脑横机推针三角和清针三角换向伸缩状态应正确；

2 针床移位、密度控制、断纱停车、撞针停车、超负荷停车等自动控制机构反应，应准确及时；

3 卷取装置应平稳、可靠。

5.4.4 电脑横机安装的技术要求和检验方法应符合表 5.4.4 的规定。

表 5.4.4　电脑横机安装的技术要求和检验方法

序号	项　目	技术要求	检验方法
1	左右墙板安装面平行度	≤0.15/1000	用平尺、塞尺检测
2	前后针床头口的平行度	≤0.10mm	用百分表或专用量具检测
3	针床座两个平面安装部位的平面度	≤0.04/1000	用平尺、塞尺检测
4	起底装置升降导轨的平行度	≤0.04mm	用专用工具、塞尺检测
5	各镶配三角之间间隙	0.02mm～0.12mm	用塞尺检测
6	各镶配三角与三角底板型腔间隙	0.04mm～0.10mm	用塞尺检测
7	针床横移装置间隙	0.01mm～0.03mm	用千分表检测
8	梭杠与导轨平行度	≤0.30mm	用百分表检测

Ⅲ　织领机

5.4.5　织领机安装的技术要求和检验方法应符合表 5.4.5 的规定。

表 5.4.5　织领机安装的技术要求和检验方法

序号	项　目	技术要求(mm)	检验方法
1	各镶配三角间间隙	0.02～0.12	用塞尺检测
2	各镶配三角与三角底板型腔间隙	0.04～0.08	用塞尺检测
3	针床横移装置间隙	0.01～0.04	用千分表或塞尺检测

Ⅳ　手套编织机

5.4.6　手套编织机的安装应符合下列规定:

1　机头往复运动时,织针、沉降片应无阻滞现象。

2　左、右墙板与机架安装座应牢固、可靠。

3　编织部件的安装应符合下列规定:

　　1)手指、手掌、罗口编织动作变换应正确、灵活;

　　2)手指钩上、下升降动作应灵活、平稳;

3)针床头口部分及栅状齿两侧应光滑；

4)前、后滚筒相对位置应定位准确。

4 传动部件的安装应符合下列规定：

1)各凸轮传动控制应正确、无误；

2)传动系统应润滑良好、油路畅通。

5.4.7 手套编织机安装的技术要求和检验方法应符合表 5.4.7 的规定。

表 5.4.7　手套编织机安装的技术要求和检验方法

序号	项　　目	技术要求	检验方法
1	机架安装面平行度	≤0.10/500	用平尺、塞尺检测
2	机头导轨平行度	≤0.04/500	用千分表检测
3	针床座两个平面安装部位的平面度	≤0.03/500	用平尺、塞尺检测
4	沉降片槽与针槽中心线位置偏差	≤0.20mm	用游标卡尺检测
5	三角平面与针床平面间隙	0.10mm～0.30mm	用塞尺检测
6	各镶配三角间间隙	0.03mm～0.08mm	用塞尺检测
7	各镶配三角与三角底板型腔间隙	0.04mm～0.08mm	用塞尺检测

6 经编织造部分主要设备的安装

6.1 特里科经编机

6.1.1 特里科经编机的安装应符合下列规定：

1 机器上机脚减震装置数量和位置应符合技术文件的规定，并应根据技术文件进行安装，不得随意改动。

2 成圈机件的运动配合和安装应符合下列规定：

1）各组成圈机件应纵向平行；

2）各成圈机件位置应准确一致；

3）各成圈机件隔距应准确一致；

4）成圈机件的安装应以针床为基准，不得改动针床的位置；

5）成圈机件的移针时间应准确无误。

3 送经测长控制部分反馈压轮应转动灵活、间隙符合要求、旋转方向正确。

4 减振螺栓组件应连接可靠，不得扭曲，各同步带轮应平齐，皮带松紧调节应满足使用要求。

5 牵拉辊、卷布辊应与床身侧平面平行，且应转动灵活。

6 空装经轴，经轴尾部的轴承安装位置应符合设计要求，并应锁紧。

7 张力杆应摆动灵活，张力片应高低一致；导纱帽应牢固地装在张力片上。

6.1.2 特里科经编机安装的技术要求和检验方法应符合表6.1.2的规定。

表 6.1.2 特里科经编机安装的技术要求和检验方法

序号	项 目	技术要求	检验方法
1	床身横、纵向水平度	≤0.50/1000	用水平仪检测

续表 6.1.2

序号	项 目	技术要求	检验方法
2	机架横、纵向水平度	≤0.50/1000	用水平仪检测
3	经轴架各墙板上分段经轴安装孔中心线的同轴度	≤ϕ2.00mm	用专用检具检测
4	经轴底板与床身上平面的平行度	≤0.20mm	用塞尺检测
5	牵拉辊、卷布辊与床身安装面的平行度	≤3.00mm	用钢直尺检测
6	成圈机件直线度	≤0.10/1000	用百分表检测
7	针床主臂连杆支点距离床身上平面高度允差	≤0.05mm	用高度尺检测
8	沉降片主臂连杆支点距离床身上平面高度允差	≤0.05mm	用高度尺检测
9	梳栉主臂连杆支点距离床身上平面高度允差	≤0.05mm	用高度尺检测
10	沉降片脱圈深度允差	±0.10mm	用塞尺检测
11	沉降片握持隔距允差	±0.05mm	用塞尺检测
12	导纱针针前最大隔距允差	±0.10mm	用塞尺检测
13	导纱针针间距离允差	±0.05mm	用塞尺检测
14	织针最低点时,织针针头离床身上平面高度允差	±0.10mm	用高度尺检测

6.2 拉舍尔经编机

I 单针床拉舍尔经编机

6.2.1 单针床拉舍尔经编机的安装应符合下列规定:

1 成圈机件的运动配合和安装精度应符合下列规定:

1)各组成圈机件应纵向平行;

2)各成圈机件位置应准确一致;

23

3）各成圈机件隔距应准确一致；

4）贾卡针动作应准确、灵活；

5）成圈机件的移针时间应准确无误。

2 送经测长控制部分反馈压轮应转动灵活、间隙符合要求、旋转方向正确。

3 牵拉辊、卷布辊、张力杆、经轴等旋转部件应转动灵活、间隙符合要求、方向正确。

4 主机与经轴架连接的减振螺栓应连接可靠，不得扭曲。

5 张力片应高低一致。

6 经轴尾部轴承的端面应与墙板端面平齐，并应装有安全螺栓。

7 同步带、链条传动松紧调节应满足使用要求。

8 纱架应安装牢固，X、Y、Z方向应平直，不得歪斜，且应过纱顺畅。

6.2.2 单针床拉舍尔经编机安装的技术要求和检验方法应符合表 6.2.2 的规定。

表 6.2.2　单针床拉舍尔经编机安装的技术要求和检验方法

序号	项　　目	技术要求	检验方法
1	床身横、纵向水平度	≤0.50/1000	用水平仪检测
2	机架横、纵向水平度	≤0.50/1000	用水平仪检测
3	摆轴轴线相对基准平面的平行度	≤0.05/1000	用千分表检测
4	墙板上分段经轴各安装位置同轴度	≤ϕ2.00mm	用专用检具检测
5	成圈机件直线度	≤0.10/1000	用百分表检测
6	舌（槽）针、花梳导纱针、导纱针、握持沉降片等相对脱圈板位置允差	≤0.04mm	用塞尺检测
7	经轴架相对主机床身的平行度	≤2.0/1000	用卷尺检测
8	凸轮与滚子共轭要求，有间隙区	≤1/4周	用角尺、卷尺检测

续表 6.2.2

序号	项 目		技术要求（mm）	检验方法
9	内外滚子与凸轮最大间隙	油浴式	≤0.04	用塞尺检测
		干式	≤0.06	
10	槽针床升降连杆摆臂同步允差	两极限位置	≤0.09	用百分表检测
		其余位置	≤0.18	
11	针芯床升降连杆摆臂同步允差	两极限位置	≤0.09	用百分表检测
		其余位置	≤0.18	
12	脱圈连杆摆臂同步允差	两极限位置	≤0.09	用百分表检测
		其余位置	≤0.18	
13	舌针床连杆摆臂同步允差	两极限位置	≤0.09	用百分表检测
		其余位置	≤0.18	
14	沉降片连杆摆臂同步允差	两极限位置	≤0.09	用百分表检测
		其余位置	≤0.18	
15	梳栉连杆摆臂同步允差	两极限位置	≤0.09	用百分表检测
		其余位置	≤0.18	

Ⅱ　多梳栉拉舍尔经编机

6.2.3 多梳栉拉舍尔经编机的安装应符合下列规定：

1 成圈部分的运动配合和安装精度应符合下列规定：

1）各组成圈机件应纵向平行；

2）各成圈机件位置应准确一致；

3）各成圈机件隔距应准确一致；

4）贾卡针动作应准确、灵活；

5）成圈机件的移针时间应准确无误。

2 送经测长控制部分反馈压轮应转动灵活、间隙符合要求、旋转方向正确。

3 牵拉辊、卷布辊、张力杆、经轴等旋转部件应转动灵活、间隙符合要求、方向正确。

· 25 ·

4 主机与经轴架连接的减振螺栓应连接可靠,不得扭曲。

5 张力片应高低一致。

6 经轴尾部轴承的端面应与墙板端面平齐,并应装有安全螺栓。

7 同步带、链条传动松紧调节应满足使用要求。

8 纱架应安装牢固,X、Y、Z方向应平直,不得歪斜,且应过纱顺畅。

6.2.4 多梳栉拉舍尔经编机安装的技术要求和检验方法应符合表6.2.4的规定。

表6.2.4 多梳栉拉舍尔经编机安装的技术要求和检验方法

序号	项 目		技术要求	检验方法
1	床身横、纵向水平度		≤0.50/1000	用水平仪检测
2	机架横、纵向水平度		≤0.50/1000	用水平仪检测
3	摆轴轴线相对基准平面的平行度		≤0.05/1000	用千分表检测
4	墙板上分段经轴各安装位置同轴度		≤φ2.00mm	用专用检具检测
5	成圈机件直线度		≤0.10/1000	用百分表检测
6	织针、花梳导纱针、导纱针、握持沉降片等相对脱圈板位置允差		≤0.04mm	用塞尺检测
7	经轴架相对主机床身的平行度		≤2.0/1000	用卷尺检测
8	凸轮与滚子共轭要求,有间隙区		≤1/4周	用角尺、卷尺检测
9	内外滚子与凸轮最大间隙		≤0.04mm	用塞尺检测
10	槽针床升降连杆摆臂同步允差	两极限位置	≤0.05mm	用百分表检测
		其余位置	≤0.10mm	
11	针芯床升降连杆摆臂同步允差	两极限位置	≤0.05mm	用百分表检测
		其余位置	≤0.10mm	
12	脱圈连杆摆臂同步允差	两极限位置	≤0.02mm	用千分表检测
		其余位置	≤0.04mm	
13	压纱板连杆摆臂同步允差	两极限位置	≤0.03mm	用千分表检测
		其余位置	≤0.05mm	

Ⅲ 贾卡提花拉舍尔经编机

6.2.5 贾卡提花拉舍尔经编机的安装应符合下列规定：

1 成圈机件的运动配合和安装精度应符合下列规定：

1）各组成圈机件应纵向平行；

2）各成圈机件位置应准确一致；

3）各成圈机件隔距应准确一致；

4）贾卡针动作应准确、灵活；

5）成圈机件的移针时间应准确无误。

2 送经测长控制部分反馈压轮应转动灵活、间隙符合要求、旋转方向正确。

3 牵拉辊、卷布辊、张力杆、经轴等旋转部件应转动灵活、间隙符合要求、方向正确。

4 主机与经轴架连接的减振螺栓应连接可靠，不得扭曲。

5 张力片应高低一致。

6 经轴尾部轴承的端面应与墙板端面平齐，并应装有安全螺栓。

7 同步带、链条传动松紧调节应满足使用要求。

8 纱架应安装牢固，X、Y、Z 方向应平直，不得歪斜，且应过纱顺畅。

9 花梳滑条应滑动灵活，间隙应符合要求。

6.2.6 贾卡提花拉舍尔经编机安装的技术要求和检验方法应符合表 6.2.6 的规定。

表 6.2.6 贾卡提花拉舍尔经编机安装的技术要求和检验方法

序号	项　目	技术要求	检验方法
1	床身横、纵向水平度	≤0.50/1000	用水平仪检测
2	机架横、纵向水平度	≤0.50/1000	用水平仪检测
3	摆轴轴线相对基准平面的平行度	≤0.05/1000	用千分表检测
4	墙板上分段经轴各安装位置同轴度	≤ϕ2.00mm	用专用检具检测

· 27 ·

续表 6.2.6

序号	项　　目		技术要求	检验方法
5	成圈机件直线度		≤0.10/1000	用百分表检测
6	织针、花梳导纱针、导纱针、握持沉降片等相对脱圈板位置允差		≤0.04mm	用塞尺检测
7	经轴架相对主机床身的平行度		≤2.0/1000	用卷尺检测
8	脱圈板处于最低时,针床导柱与油箱上平面的夹角		应按技术文件规定	用百分表和专用检具检测
9	针芯为最高位置时,织针与针芯的开口间隙		0.10mm~0.15mm	用塞尺检测
10	凸轮与滚子共轭要求,有间隙区		≤1/4周	用角尺、卷尺检测
11	内外滚子与凸轮最大间隙		≤0.04mm	用塞尺测量
12	槽针床升降连杆摆臂同步允差	两极限位置	≤0.05mm	用百分表检测
		其余位置	≤0.10mm	
13	针芯床升降连杆摆臂同步允差	两极限位置	≤0.05mm	用百分表检测
		其余位置	≤0.10mm	
14	脱圈连杆摆臂同步允差	两极限位置	≤0.03mm	用千分表检测
		其余位置	≤0.05mm	
15	压纱板连杆摆臂同步允差	两极限位置	≤0.05mm	用百分表检测
		其余位置	≤0.10mm	

Ⅳ　双针床拉舍尔经编机

6.2.7 双针床拉舍尔经编机的安装应符合下列规定:

　　1 成圈机件的运动配合和安装精度应符合下列规定:

　　1)各组成圈机件应纵向平行;

　　2)各成圈机件位置应准确一致;

　　3)各成圈机件隔距应准确一致;

　　4)成圈机件的移针时间应准确无误。

2 送经测长控制部分反馈压轮应转动灵活、间隙符合要求、旋转方向正确。

3 牵拉辊、卷布辊、张力杆、经轴等旋转部件应转动灵活、间隙符合要求、方向正确。

4 主机与经轴架连接的减振螺栓应连接可靠,不得扭曲。

5 张力片应高低一致。

6 经轴尾部轴承的端面应与墙板端面平齐,并应装有安全螺栓。

7 同步带、链条传动松紧调节应满足使用要求。

8 纱架应安装牢固,X、Y、Z方向应平直,不得歪斜,且应过纱顺畅。

6.2.8 双针床拉舍尔经编机安装的技术要求和检验方法应符合表6.2.8的规定。

表6.2.8 双针床拉舍尔经编机安装的技术要求和检验方法

序号	项 目	技术要求	检验方法
1	床身横、纵向水平度	≤0.50/1000	用水平仪检测
2	机架横、纵向水平度	≤0.50/1000	用水平仪检测
3	摆轴轴线相对基准平面的平行度	≤0.05/1000	用千分表检测
4	墙板上分段经轴各安装位置同轴度	≤ϕ2.00mm	用专用检具检测
5	成圈机件直线度	≤0.10/1000	用百分表检测
6	织针、花梳导纱针、导纱针、握持沉降片等相对脱圈板位置允差	≤0.04mm	用塞尺检测
7	经轴架相对主机床身的平行度	≤2.0/1000	用卷尺检测
8	卷取装置相对主机床身的平行度	≤2.0/1000	用卷尺检测
9	前后脱圈板齿面侧面对上摆轴轴线平行度	≤0.09mm	用百分表检测
10	前后脱圈板齿面侧面对上摆轴轴线对称度	≤0.09mm	用百分表检测

续表 6.2.8

序号	项　目		技术要求	检验方法
11	前后脱圈板齿面顶面对上摆轴轴线平行度		≤0.09mm	用百分表检测
12	凸轮与滚子共轭要求,有间隙区		≤1/4 周	用角尺、卷尺检测
13	内外滚子与凸轮最大间隙	油浴式	≤0.04mm	用塞尺检测
		干式	≤0.06mm	
14	槽针床升降连杆摆臂同步允差	两极限位置	≤0.09mm	用百分表检测
		其余位置	≤0.18mm	
15	针芯床升降连杆摆臂同步允差	两极限位置	≤0.09mm	用百分表检测
		其余位置	≤0.18mm	
16	脱圈连杆摆臂同步允差	两极限位置	≤0.09mm	用百分表检测
		其余位置	≤0.18mm	
17	舌针床连杆摆臂同步允差	两极限位置	≤0.09mm	用百分表检测
		其余位置	≤0.18mm	
18	沉降片连杆摆臂同步允差	两极限位置	≤0.09mm	用百分表检测
		其余位置	≤0.18mm	
19	梳栉连杆摆臂同步允差	两极限位置	≤0.09mm	用百分表检测
		其余位置	≤0.18mm	

Ⅴ　无缝成形经编机

6.2.9 无缝成形经编机的安装应符合下列规定:

　　1 成圈机件的运动配合和安装精度应符合下列规定:

　　1)各组成圈机件应纵向平行;

　　2)各成圈机件位置应准确一致;

　　3)各成圈机件隔距应准确一致;

　　4)贾卡针动作应准确、灵活;

　　5)成圈机件的移针时间应准确无误。

2 送经测长控制部分反馈压轮应转动灵活、间隙符合要求、旋转方向正确。

3 牵拉辊、卷布辊、张力杆、经轴等旋转部件应转动灵活、间隙符合要求、方向正确。

4 主机与经轴架连接的减振螺栓应连接可靠,不得扭曲。

5 张力片应高低一致。

6 经轴尾部轴承的端面应与墙板端面平齐,并应装有安全螺栓。

7 同步带、链条传动松紧调节应满足使用要求。

8 纱架应安装牢固,X、Y、Z 方向应平直,不得歪斜,且应过纱顺畅。

6.2.10 无缝成形经编机安装的技术要求和检验方法应符合表6.2.10 的规定。

表 6.2.10 无缝成形经编机安装的技术要求和检验方法

序号	项 目	技术要求	检验方法
1	床身横、纵向水平度	≤0.50/1000	用水平仪检测
2	机架横、纵向水平度	≤0.50/1000	用水平仪检测
3	摆轴轴线相对基准平面的平行度	≤0.05/1000	用千分表检测
4	墙板上分段经轴各安装位置同轴度	≤ϕ2.00mm	用专用检具检测
5	成圈机件直线度	≤0.10/1000	用百分表检测
6	织针、花梳导纱针、导纱针、握持沉降片等相对脱圈板位置允差	≤0.04mm	用塞尺检测
7	经轴架相对主机床身的平行度	≤2.0/1000	用卷尺检测
8	卷取装置相对主机床身的平行度	≤2.0/1000	用卷尺检测
9	前后脱圈板齿面侧面对上摆轴轴线平行度	≤0.08mm	用百分表检测
10	前后脱圈板齿面顶面对上摆轴轴线平行度	≤0.08mm	用百分表检测

· 31 ·

续表 6.2.10

序号	项　目		技术要求	检验方法
11	凸轮与滚子共轭要求,有间隙区		≤1/4周	用角尺、卷尺检测
12	内外滚子与凸轮最大间隙	油浴式	≤0.04mm	用塞尺检测
		干式	≤0.06mm	
13	槽针床升降连杆摆臂同步允差	两极限位置	≤0.05mm	用百分表检测
		其余位置	≤0.10mm	
14	针芯床升降连杆摆臂同步允差	两极限位置	≤0.05mm	用百分表检测
		其余位置	≤0.10mm	
15	脱圈连杆摆臂同步允差	两极限位置	≤0.05mm	用百分表检测
		其余位置	≤0.10mm	
16	舌针床连杆摆臂同步允差	两极限位置	≤0.05mm	用百分表检测
		其余位置	≤0.10mm	
17	沉降片连杆摆臂同步允差	两极限位置	≤0.05mm	用百分表检测
		其余位置	≤0.10mm	
18	梳栉连杆摆臂同步允差	两极限位置	≤0,05mm	用百分表检测
		其余位置	≤0.10mm	

6.3　轴向经编机

Ⅰ　双轴向经编机

6.3.1　双轴向经编机的安装应符合下列规定:

1　成圈机件的运动配合和安装精度应符合下列规定:

1)各组成圈机件应纵向平行;

2)各成圈机件位置应准确一致;

3)各成圈机件隔距应准确一致;

4)成圈机件的移针时间应准确无误。

2　压缩空气管排列应整齐,并应无漏气现象。

3　气动执行元件动作应准确可靠。

4 牵拉辊、卷布辊应转动灵活。

5 主机与经轴架连接的减振螺栓应连接可靠,不得扭曲。

6 张力杆应转动灵活,张力片应高低一致;导纱帽应牢固地装在张力片上。

7 经轴尾部轴承的端面应与墙板端面平齐,并应装有安全螺栓。

8 分散辊、切割辊和被动压辊应转动灵活。

9 短切刀的刃口应锋利、无损伤,并应与短切辊镶嵌牢固。

10 铺纬角度应为0°和90°。

6.3.2 双轴向经编机安装的技术要求和检验方法应符合表6.3.2的规定。

表6.3.2 双轴向经编机安装的技术要求和检验方法

序号	项 目		技术要求	检验方法
1	床身横、纵向水平度		≤0.50/1000	用水平仪检测
2	机架横、纵向水平度		≤0.50/1000	用水平仪检测
3	墙板上分段经轴各安装位置同轴度		≤ϕ2.00mm	用专用检具检测
4	牵拉辊、卷布辊与床身安装面的平行度		≤3.00mm	用钢直尺检测
5	成圈机件中的长向件(梳栉、摆轴、针床、脱圈板)直线度		≤0.10/1000	用百分表检测
6	各织针与脱圈板位置度		≤0.10mm	用百分表检测
7	刀片凸出短切辊表面高低允差		≤0.10mm	用游标卡尺检测
8	槽针床升降连杆摆臂同步允差	两极限位置	≤0.05mm	用百分表检测
		其余位置	≤0.10mm	用百分表检测
9	针芯床升降连杆摆臂同步允差	两极限位置	≤0.05mm	用百分表检测
		其余位置	≤0.10mm	用百分表检测
10	针床摆动连杆摆臂同步允差	两极限位置	≤0.05mm	用百分表检测
		其余位置	≤0.10mm	用百分表检测
11	梳栉连杆主摆臂同步允差	两极限位置	≤0.05mm	用百分表检测
		其余位置	≤0.10mm	用百分表检测

Ⅱ 多轴向经编机

6.3.3 多轴向经编机的安装应符合下列规定：

1 成圈机件的运动配合和安装精度应符合下列规定：

1）各组成圈机件应纵向平行；

2）各成圈机件位置应准确一致；

3）各成圈机件隔距应准确一致；

4）成圈机件的移针时间应准确无误。

2 压缩空气管排列应整齐，无漏气现象。

3 气动执行元件动作应准确可靠。

4 牵拉辊、卷布辊应转动灵活。

5 主机与经轴架连接的减振螺栓应连接可靠，不得扭曲。

6 张力杆应转动灵活，张力片应高低一致；导纱帽应牢固地装在张力片上。

7 经轴尾部轴承的端面应与墙板端面平齐，并应装有安全螺栓。

8 铺纬角度应为90°。

6.3.4 多轴向经编机安装的技术要求和检验方法应符合表6.3.4的规定。

表 6.3.4 多轴向经编机安装的技术要求和检验方法

序号	项 目	技术要求	检验方法
1	床身横、纵向水平度	≤0.50/1000	用水平仪检测
2	机架横、纵向水平度	≤0.50/1000	用水平仪检测
3	墙板上分段经轴各安装位置同轴度	≤ϕ2.00mm	用专用检具检测
4	牵拉辊、卷布辊与床身安装面的平行度	≤3.00mm	用钢直尺检测
5	成圈机件中长向件(梳栉、摆轴、针床、脱圈板)直线度	≤0.10/1000	用百分表检测
6	各织针与脱圈板位置度	≤0.10mm	用百分表检测

续表 6.3.4

序号	项 目		技术要求(mm)	检验方法
7	左右衬纬钩高低允差		≤5.00	拉线法,用钢直尺检测
8	左右衬纬钩平行度		≤5.00	用激光干涉仪检测
9	纬纱钩与脱圈片上平面距离		0.50~1.50	用游标卡尺检测
10	刹车片间隙		0.30~0.50	用塞尺检测
11	槽针床升降连杆摆臂同步允差	两极限位置	≤0.05	用百分表检测
		其余位置	≤0.10	
12	针芯床升降连杆摆臂同步允差	两极限位置	≤0.05	用百分表检测
		其余位置	≤0.10	
13	针床摆动连杆摆臂同步允差	两极限位置	≤0.05	用百分表检测
		其余位置	≤0.10	
14	梳栉连杆主摆臂同步允差	两极限位置	≤0.05	用百分表检测
		其余位置	≤0.10	

6.4 缝 编 机

6.4.1 缝编机的安装应符合下列规定:

　　1 分散辊、切割辊及被动压辊应转动灵活;

　　2 压缩空气管排列应整齐,并应无漏气现象;

　　3 气动执行元件动作应准确可靠;

　　4 短切刀辊刀口应锋利无损伤,表面刀片应与短切辊镶嵌牢固。

6.4.2 成圈机件的运动配合和安装精度应符合下列规定:

　　1 各组成圈机件应纵向平行;

　　2 各成圈机件位置应准确一致;

　　3 各成圈机件隔距应准确一致;

　　4 成圈机件的移针时间应准确无误。

6.4.3 牵拉辊、卷布辊应转动灵活。

6.4.4 主机与经轴架连接的减振螺栓应连接可靠,不得扭曲。

6.4.5 张力杆应转动灵活,张力片应高低一致;导纱帽应牢固地装在张力片上。

6.4.6 缝编机安装的技术要求和检验方法应符合表6.4.6的规定。

表6.4.6 缝编机安装的技术要求和检验方法

序号	项 目		技术要求	检验方法
1	床身横、纵向水平度		≤0.50/1000	用水平仪检测
2	机架横、纵向水平度		≤0.50/1000	用水平仪检测
3	墙板上分段经轴各安装位置同轴度		≤φ2.00mm	用专用检具检测
4	牵拉辊、卷布辊与床身安装面的平行度		≤3.00mm	用钢直尺检测
5	各织针与脱圈板位置度		≤0.10mm	用百分表检测
6	成圈机件中长向件(梳栉、摆轴、针床、脱圈板)直线度		≤0.10/1000	用百分表检测
7	刀片凸出短切辊表面高低允差		≤0.10mm	用游标卡尺检测
8	槽针床偏心连杆运动		应灵活	目测
9	槽针床连杆同步允差	两极限位置	≤0.05mm	用百分表检测
		其余位置	≤0.10mm	
10	针芯床偏心连杆运动		应灵活	目测
11	针芯床连杆同步允差	两极限位置	≤0.05m	用百分表检测
		其余位置	≤0.10mm	
12	梳栉摆动偏心连杆运动		应灵活	目测
13	梳栉摆动连杆主摆臂同步允差	两极限位置	≤0.05mm	用百分表检测
		其余位置	≤0.10mm	
14	梳栉摆轴轴线对床身基准平面的平行度		≤0.10/1000	用百分表检测
15	90°衬纬机构	衬纬输送链条	应同步	目测
16		纬纱与织针针尖平行度	≤0.50mm	用激光标线仪、百分表检测

7 针织印染部分主要设备的安装

7.1 针织开幅丝光机

7.1.1 针织开幅丝光机的安装应符合下列规定：

　　1 导轨连接应牢固、平整；

　　2 针铗运行应平稳，且运行到轨道连接处时不得有明显撞击现象；

　　3 调幅丝杆传动应灵活、轻便；

　　4 针铗与布面接触动作应可靠；

　　5 针铗与链条的连接应牢固、灵活；

　　6 超喂装置应准确；

　　7 探边装置应灵活、有效。

7.1.2 针织开幅丝光机安装的技术要求和检验方法应符合表7.1.2的规定。

表 7.1.2　针织开幅丝光机安装的技术要求和检验方法

序号	项　　目		技术要求	检验方法
1		机架横梁中心线对中心基线的偏移	±1.00mm	吊线、用直尺检测
2		左右导轨组成的中心线对中心基线的偏移	±0.50mm	吊线、用直尺检测
3	针铗丝光机	导轨横梁横向水平度	≤0.50/1000	用水平仪检测
4		导轨横梁纵向水平度	≤0.50/1000	用水平仪检测
5		前后导轨横梁纵向水平度	≤0.50/1000	用直尺、水平仪检测
6		超喂辊对安装基准线的平行度	≤0.50/1000	用水平仪检测
7		相邻针铗板上表面平齐度	≤1.00mm	用钢直尺检测
8		相邻针铗板侧面平齐度	≤1.50mm	用钢直尺检测

续表 7.1.2

序号	项 目		技术要求	检验方法
9	直辊浸碱槽	槽体中心线对中心基线的偏移	±0.50mm	吊线、用直尺检测
10		槽体水平度	≤0.30/1000	用水平仪检测
11		上直辊工作表面水平度	≤0.50/1000	用水平仪检测
12		直辊间的平行度	≤0.50mm	用游标卡尺、内径千分尺检测

7.2 水 洗 箱

7.2.1 水洗箱的安装应符合下列规定：

  1 导布辊、上压辊的转动应灵活、平稳；

  2 机械密封的轴表面、密封件表面安装前应清洁干净,不得有影响密封性能的损伤；

  3 机械密封安装部位不得渗漏；

  4 箱体溢流口以下部位及放液阀应密封良好,不得渗漏；

  5 箱盖、视窗开启应灵活、可靠。

7.2.2 敞开平幅水洗箱安装的技术要求和检验方法应符合表7.2.2的规定。

表 7.2.2 敞开平幅水洗箱安装的技术要求和检验方法

序号	项 目	技术要求	检验方法
1	机梁横跨水平度	≤0.3/1000	用水平仪检测
2	导布辊水平度	≤0.2/1000	用水平仪检测
3	相邻导布辊平行度	≤0.5mm	用钢卷尺检测
4	上排导布辊与下排导布辊平行度	≤1.0mm	用钢卷尺检测

7.2.3 带盖水洗箱安装的技术要求和检验方法应符合表7.2.3的规定。

表7.2.3 带盖水洗箱安装的技术要求和检验方法

序号	项　　目	技术要求	检验方法
1	导布辊水平度	≤0.2/1000	用水平仪检测
2	相邻导布辊平行度	≤0.5mm	用钢卷尺检测
3	上排导布辊与下排导布辊平行度	≤1.0mm	用钢卷尺检测

7.3 染　色　机

7.3.1 气流染色机的安装应符合现行国家标准《印染设备工程安装与质量验收规范》GB 50667 的有关规定。

7.3.2 喷射染色机的安装应符合现行国家标准《印染设备工程安装与质量验收规范》GB 50667 的有关规定。

7.4 印　花　机

7.4.1 圆网印花机的安装应符合现行国家标准《印染设备工程安装与质量验收规范》GB 50667 的有关规定。

7.4.2 平网印花机的安装应符合现行国家标准《印染设备工程安装与质量验收规范》GB 50667 的有关规定。

7.5 圆网烘燥机

7.5.1 圆网烘燥机的安装应符合下列规定：

    1 圆网内、外表面应光滑、无毛刺；

    2 相邻圆网内的密封板安装位置应相互衔接；

    3 活动隔热门开关应灵活；

    4 活动隔热门应密封良好，门缝处不应有明显的风感；

    5 循环风机底座应用地脚螺栓浇筑水泥固定。

7.5.2 圆网烘燥机安装的技术要求和检验方法应符合表7.5.2的规定。

表 7.5.2 圆网烘燥机安装的技术要求和检验方法

序号	项 目		技术要求	检验方法
1	机架	底梁横跨的水平度	≤0.30/1000	用水平仪检测
2		底梁纵向的水平度	≤0.30/1000	用水平仪检测
3		底梁与机台中心线的横向偏移	≤1.50mm	吊线、用直尺检测
4		底梁与机台中心线的平行度	≤1.00mm	用吊线法检测
5	机架	底框对角线允差	≤3.50mm	用钢卷尺检测
6		风机侧立柱的垂直度	≤3.00mm	吊线、用直尺检测
7	圆网	圆网轴线水平度	≤0.35/1000	用水平仪检测
8		圆网间隔距允差	±2.50mm	用塞尺检测
9		圆网外圆对轴线的径向圆跳动	≤3.50mm	用百分表检测
10	喂入辊	喂入辊与圆网间隔距允差	32mm±2.50mm	用塞尺检测
11		喂入辊的水平度	≤0.50/1000	用水平仪检测
12		喂入辊外圆对轴线的径向圆跳动	≤0.50mm	用百分表检测
13	出布辊	出布辊与圆网间隔距允差	40mm±2.50mm	用塞尺检测
14		出布辊的水平度	≤0.50/1000	用水平仪检测
15		喂布辊外圆对轴线的径向圆跳动	≤0.50mm	用百分表检测
16	风机部件	风机叶轮后盘外圆对风机轴线的径向圆跳动	≤2.00mm	用百分表检测
17		风机叶轮后盘最大直径处对风机轴线的端面圆跳动	≤2.00mm	用百分表检测
18		风机叶轮前盘与铝环间隙	5.00mm~8.00mm	用塞尺检测
19		风机轴线水平度	≤0.35/1000	用水平仪检测
20	隔热门的门间隙允差		0~3.00mm	用塞尺检测

7.6 呢毯预缩整理机

7.6.1 呢毯预缩整理机的安装应符合下列规定：

1 伸缩板式扩幅辊夹持应稳定，伸缩板缩扩应灵活；

2 超喂轮转动应平稳、无跳动；

3 加热承压辊、呢毯张紧辊转动应灵活、无跳动，动作应协调一致。

7.6.2 呢毯预缩整理机安装的技术要求和检验方法应符合表7.6.2的规定。

表7.6.2 呢毯预缩整理机安装的技术要求和检验方法

序号	项 目		技术要求	检验方法
1	机架部件	机架横、纵向水平度	≤0.30/1000	用水平仪检测
2		单机架横、纵向水平度	≤0.10/200	用水平仪检测
3		机架立柱的垂直度	≤1.00mm	用吊线法或框式水平仪检测
4	滚筒部件	加热承压辊表面的水平度	≤0.10/1000	用水平仪检测
5		烘筒表面的水平度	≤0.10/1000	用水平仪检测
6		加热承压辊表面对中心轴线的径向圆跳动	≤0.50mm	用百分表检测
7		上、下滚筒端面平齐度	≤0.50mm	用钢直尺、塞尺检测
8		相邻承压辊、烘筒之间的平行度	≤0.30mm	用游标卡尺或内径千分尺检测
9	呢毯两边周长偏差		≤0.1%	用钢直尺检测

7.7 圆筒定形机

7.7.1 圆筒定形机的安装应符合下列规定：

1 伸缩板式扩幅辊夹持应稳定，伸缩板缩扩应灵活；

2 超喂轮转动应平稳、无跳动；

3 出布冷却辊和出布装置动作应平稳灵活、协调一致；

4 喷风装置上、下喷口安装面应一致。

7.7.2 圆筒定形机安装的技术要求和检验方法应符合表 7.7.2 的规定。

表 7.7.2 圆筒定形机安装的技术要求和检验方法

序号	项　　目	技术要求	检验方法
1	机架左右的水平度	≤0.30/1000	用水平仪检测
2	机架横、纵向的水平度	≤0.30/1000	用水平仪检测
3	机架立柱的垂直度	≤1.00mm	用吊线法或框式水平仪检测
4	导布辊表面的水平度	≤0.30/1000	用水平仪检测
5	出布辊表面对中心轴线的径向圆跳动	≤0.20mm	用百分表检测
6	相邻导布辊之间的平行度	≤0.50/1000	用游标卡尺或内径千分尺检测

7.8 拉幅定形机

7.8.1 拉幅定形机的安装应符合下列规定：

1 导轨联接应牢固、平整；

2 调幅丝杆传动应灵活；

3 针铗与布面接触动作应可靠；

4 超喂装置应准确；

5 针铗运行应平稳；

6 烘房隔热门密封应良好；

7 循环风机、排风机运转不应有异响。

7.8.2 拉幅定形机安装的技术要求和检验方法应符合表 7.8.2 的规定。

表 7.8.2 拉幅定形机安装的技术要求和检验方法

序号	项 目	技术要求	检验方法
1	烘房机架滑座横、纵向水平度	≤0.5/1000	用直尺、水平仪检测
2	烘房机架滑座伸缩槽直线度	≤1.0mm	拉线、用直尺检测
3	机架垂直度	≤1.0/1000	吊线、用直尺检测
4	导轨横梁横、纵向水平度	≤0.2/1000	用水平仪检测
5	相邻导轨横梁纵跨水平度	≤0.2/1000	用直尺、水平仪检测
6	中间导轨平行度	≤2.0mm	吊线、用直尺检测
7	超喂辊对安装基准线的平行度	≤0.5/1000	用水平仪检测
8	相邻针铗板上表面平齐度	≤1.0mm	用钢板尺检测
9	相邻针铗板侧面平齐度	≤1.5mm	用钢板尺检测
10	主轴与导轨横梁平行度	≤0.2/1000	用直尺、角尺、深度尺检测

8 其他专用设备的安装

8.1 验 布 机

8.1.1 验布机的安装应符合下列规定：

    1 码布台应平整完好，送布辊安装应稳定、坚固；

    2 验布台面与水平面倾斜角度应为 20°～45°；

    3 光源与布面距离应保持 0.5m～0.8m；

    4 验布台面照度不应低于400lx；

    5 计长感应器反应应灵敏、准确；

    6 卷布装置应满足打卷松紧调节的要求；

    7 卷布和退绕张力应保持相对一致；

    8 齐边机构动作反应应灵敏；

    9 摆动斗及其传动部分转动应灵活。

8.1.2 验布机安装的技术要求和检验方法应符合表 8.1.2 的规定。

表 8.1.2　验布机安装的技术要求和检验方法

序号	项　目	技术要求	检验方法
1	导布辊直线度	≤1.0mm	用平尺和塞尺检测
2	计长误差	≤3.0/1000	用直尺检测
3	布卷侧边平齐偏差	±5.0mm	用直尺检测

8.2　绒类织物剖幅机

8.2.1 绒类织物剖幅机的安装应符合下列规定：

    1 剖割刀接口焊接应使刀带自身材料熔融，并应使刀对接焊平、无翘曲；

    2 剖割刀环绕飞轮应运转平稳；

3 剖割刀动程调节应定位准确,调节应方便、灵活;

4 剖割刀动程调节应能达到最大动程值。

8.2.2 绒类织物剖幅机安装的技术要求和检验方法应符合表
8.2.2的规定。

表8.2.2　绒类织物剖幅机安装的技术要求和检验方法

序号	项　目	技术要求	检验方法
1	床身横、纵向水平度	≤0.50/1000	用水平仪检测
2	飞轮径向圆跳动	≤0.15mm	用百分表检测

8.3　缝　头　机

8.3.1 缝头机传动部件的安装应符合下列规定:

　　1 传送板表面应光滑、平整;

　　2 传动部件应润滑良好,油浴箱应无渗漏;

　　3 各链轮与齿轮的啮合位置应正确;

　　4 各曲轴与偏心轴传动应正确;

　　5 传动系统运转应平稳、无异常振动及卡死现象。

8.3.2 缝头机缝合部件的安装应符合下列规定:

　　1 接线时机头升降应自如;

　　2 第二机头缝合应准确;

　　3 刺针排列应整齐。

8.3.3 各导丝系统应光洁。

8.3.4 运转部分的防护罩壳应齐全,安装应牢固、可靠。

8.3.5 缝头机安装的技术要求和检验方法应符合表8.3.5的规定。

表8.3.5　缝头机安装的技术要求和检验方法

序号	项　目	技术要求(mm)	检验方法
1	安装面的平面度	≤0.05	用平尺、塞尺检测
2	小针架与宝塔架配合横向间隙	≤0.10	用塞尺检测
3	凸轮转子与活圈配合间隙	≤0.05	用塞尺检测

· 45 ·

8.4 缝 盘 机

8.4.1 缝盘机的安装应符合下列规定：

   1 车台应牢固可靠地固定于机架上，上下高度应适中；

   2 各传动机构动作应正确、灵活，并应准确到位；

   3 底环与中盘的连接应牢固可靠；

   4 中盘、主支架与车台的连接应牢固可靠；

   5 挑线钩座与挑线钩套筒、挑线钩轴及内、外曲柄应活动轻便、灵活可靠；

   6 皮带轮与凸轮轴紧固应可靠，凸轮轴、蜗杆轴、中心齿轮轴转动应灵活，手摇时应无过重现象；

   7 缝合针与三角应贴平运行；

   8 静电消除功能应正常。

8.4.2 缝盘机安装的技术要求和检验方法应符合表 8.4.2 的规定。

表 8.4.2　缝盘机安装的技术要求和检验方法

序号	项　　目	技术要求(mm)	检验方法
1	压针板与中盘间隙	0.05～0.10	用塞尺检测
2	底环与压针板间隙	0.05～0.08	用塞尺检测
3	凸轮轴、蜗杆轴与车台间隙	0.03～0.05	用塞尺检测
4	槽凸轮轴承与槽凸轮的间隙	0.01～0.03	用塞尺检测
5	蜗轮与蜗杆间隙	0.04～0.07	用塞尺检测

9 设备的试运转

9.1 一般规定

9.1.1 设备安装完毕,应按本规范和现行国家标准《机械设备安装工程施工及验收通用规范》GB 50231 的有关规定进行试运转。

9.1.2 试运转应按先次要部分、后主要部分,先低速、后高速,先空载、后负荷的原则进行。

9.1.3 设备空车试运转时间应按相关技术文件规定的要求进行,且正常运转时间不应小于 2h。

9.1.4 设备负荷试运转应在空车试运转合格后进行,运转时间应符合相应技术文件的规定。

9.1.5 正常开车、停车程序,以及紧急停车的操作步骤和处理措施应符合设备的技术要求。

9.1.6 试运转前应对所有参加试车人员进行安全教育,操作人员应熟知操作规程,并应掌握操作程序及各项技术规定和安全守则。

9.1.7 试运转前应清理机台及周边的杂物,现场应配置消防、灭火设施。

9.1.8 齿轮箱、轴承等应清洁,并应注入规定牌号的润滑油脂。

9.1.9 润滑系统油路应畅通、无渗漏油现象,油位应符合技术文件的要求。

9.1.10 供应电源应满足设备的设计要求,环境温、湿度应符合技术文件的要求。

9.1.11 电气元件、检测装置、张力保护装置、自停机构、信号显示器及安全装置应可靠,动作应灵敏,显示应正确。

9.1.12 设备运转应平稳,并应无异常振动和声响。

9.1.13 纱线通道零件表面应光滑。

· 47 ·

9.1.14 设备试运转前所有危险部位应设置防护装置,并应贴上安全标识。

9.1.15 设备试运转过程中,电机、齿轮箱、轴承温升应符合设备行业标准的规定。

9.1.16 设备试运转结束后应切断电源。

9.1.17 设备试运转记录应整理齐全。

9.2 纬编织造部分的通用要求

9.2.1 纬编织造部分主要设备的试运转应符合下列规定:

    1 工作时不应有撞针、摩擦现象。

    2 设备应安装在无穿堂风和阳光直接照射位置,设备四周应满足操作要求。编织区的环境照明和牵拉区的机内照明应满足设计和操作要求。

    3 设备试运转前,应在针床(针筒)及导轨上加注针织机械用油;各加油部位应油量标准;强制润滑的设备应通电检查油压是否符合工作条件,在油压不符合工作条件的情况下,不得启动主设备。

    4 设备运行前应对各编织部件、传动部件等部位的螺钉进行定位与锁紧检查。

9.2.2 设备试运转时,应符合下列规定:

    1 编织部件运动应准确、正常;

    2 送纱应平稳,张力应一致,断纱应停机亮灯;

    3 各传动轴的转动方向应正确,各传动部件应无异响;

    4 卷取装置应平稳。

9.2.3 启动、制动动作应灵敏。打开机器安全门,机器应立即停止工作。安全按钮关闭后,机上任何启动按钮应无法启动机器。

9.3 经编织造部分的通用要求

9.3.1 经编织造部分主要设备的试运转应符合下列规定:

1 各织针安装位置应准确,工作时不应有擦针现象。

2 设备应安装在无穿堂风和阳光直接照射位置,设备四周应满足操作要求。编织区的环境照明和牵拉区的机内照明应满足设计和操作要求,并应保证操作位置通道宽度不小于 1.5m。

3 检查织针以及设备的运转,均应在床身内油温为 38℃～40℃的状态下进行。

4 强制润滑的设备应通电检查油压是否符合工作条件,在油压不符合工作条件的情况下,不得启动主设备。

5 各定位和紧定螺钉不得松动。运行机器前应对各摆轴墙板、各摆轴轴向定位与锁紧、编花轮座、张力架、送经牵拉传动、经轴夹紧圈和压紧螺栓等部位的紧固件进行检查。

9.3.2 设备试运转时,应符合下列规定:

1 成圈部分运动应准确;

2 送经应平稳;

3 各传动轴的转动方向应正确;

4 米长计数表计数应准确。

9.3.3 启动、制动动作应灵敏。安全按钮关闭后,机上任何启动按钮应无法启动机器。

9.3.4 温控仪运行应正常,主油箱油温低于 38℃时,加热应自动启动;主油箱油温高于 40℃时,加热应自动停止,且风扇或水冷装置应自动启动。

9.3.5 强制润滑的设备的油压系统,黏度为 ISO N22 主轴油,在油温到达 40℃时,正常油压值应控制为 3.5Pa～8.0Pa,当油压低于 3.0Pa 时,机器应自动停机。

9.4 主要设备的试运转要求

9.4.1 络筒机的试运转应符合下列规定:

1 筒子托架应动作平稳可靠,下落应缓慢安全;

2 卷绕槽筒运转应平稳、无明显振动;

· 49 ·

3 卷绕槽筒的驱动、制动、停顿、反转、再驱动应符合设备的技术要求。

9.4.2 整经机的试运转应符合下列规定：

1 分段整经机的试运转应符合下列规定：

1）装上经轴，挂纱试验，线速度不应低于 1000m/min；

2）经轴装卸应准确、可靠；

3）车速为 1000m/min 时，停车制动距离不应大于 10m；

4）主轴和张力平衡罗拉应能同步制动；

5）纱架张力器安装架上下、左右运动应轻松灵活；

6）减压阀输出压力应稳定，电磁阀动作应稳定可靠，气路中应无漏气现象；

7）空车最高速度运转时，噪声指标应满足设备技术文件规定的要求；

8）经纱表面应平整光滑；

9）同组经轴（纱）外圆周长差异值不应大于 1‰；

10）同组经轴（纱）圈数应相同，整经长度米数差异值不应大于 0.05‰；

11）纱线张力自动控制时，同组经轴的纱线张力应均匀，片纱张力波动值允许偏差应为 ±15%；

12）经纱圆柱面锥度差异值不应大于 0.1%；

13）经轴应无毛丝、绊丝、断头、松纱现象。

2 花经轴整经机的试运转应符合下列规定：

1）将经轴放上两辊筒间，在整经线速度为 200m/min 时，空车运转时间不得少于 4h，机器运转应正常，并应平稳无抖动，经轴转动应平衡，并应无跳动现象；

2）摩擦辊带动经轴转动时，经轴应转动自如，并应无异常声响；

3）摆轴机构换向时应无停顿和异响；

4）空车最高速度运转时，噪声指标应满足设备技术文件规

· 50 ·

定的要求；

5）单纱张力差异值的允许偏差应为±0.015N；

6）经纱表面应平整光滑；

7）经纱圆柱面锥度差异值不应大于0.1%；

8）经轴应无毛丝、绊丝、断丝、松纱现象。

9.4.3 圆型纬编机的试运转应符合下列规定：

1 设备运转过程中，应保持编织区、输线装置和纱筒上无飞花；

2 试验转速应为设计转速的80%；

3 机器经跑合后，应连续运转4h；

4 采用一等一级品纯棉针织纱或A级品的低弹涤纶丝等原料织造时，织物应布面清晰，布内无破洞、漏针，无明显横条和直条。

9.4.4 袜机的试运转应符合下列规定：

1 设备试运转2h内，速度不应超过设计速度的60%；

2 采用一等一级品纯棉针织纱或A级品的涤纶丝等原料织造时，织物应布面清晰、无明显横条和直条；

3 编织袜子长短的允许偏差不应大于10mm；

4 袜子横向延伸值、直向延伸值应符合相应技术文件的规定。

9.4.5 纬编无缝内衣机的试运转应符合下列规定：

1 设备试运转2h内，速度不应超过设计速度的50%；负载运转最高速度不应超过设计速度的80%。

2 采用一等一级品合成纤维、人造纤维、氨纶纱、包覆纱等织造时，织物花型应清晰，布面应平整，织物应无漏针、破洞，无明显横条纹和稀密针。

9.4.6 横机的试运转应符合下列规定：

1 设备试运转2h内，速度不应超过设计速度的60%；

2 横机运转应顺畅，并应无异常声响；

3 采用正品纱织造时,织物花纹应清晰,不应有花针、漏针、错花等现象,织物密度应均匀,网眼应清晰、无松紧现象;

4 织物两边松紧宽度 1m 范围内长度误差不应大于 8mm。

9.4.7 特里科经编机的试运转应符合下列规定:

1 设备试运转中应先寸行运转,再以不高于设备技术文件规定最高速度的 60% 低速运转 30min,然后再以正常速度运转 60min,应无异常;

2 成圈运动轨迹应正确,应无擦针、漏针、集圈等现象;

3 送经、牵拉、卷取机构与主轴运行应同步、平稳;

4 隔距调整、送经调节、牵拉等应准确;

5 空车最高速度运转时,床身基准平面下 100mm 处外侧双向振幅指标应符合设备技术文件的规定;

6 空车最高速度运转时,噪声指标应符合设备技术文件的规定;

7 纱线张力应控制为 0.15cN/dtex～0.20cN/dtex,且张力应均匀;

8 织物卷取后应对边齐整;

9 坯布门幅公差应为±20mm;

10 坯布密度公差应为±3 圈/50mm;

11 坯布不应有因为机器本身的原因而引起的横条和纵条;

12 坯布外观疵点应符合下列规定:

  1)外衣布不应超过 5 个/40m;

  2)内衣布不应超过 4 个/40m;

  3)蚊帐布不应超过 4 个/160m。

9.4.8 单针床拉舍尔经编机的试运转应符合下列规定:

1 设备试运转中应先寸行运转,再以不高于设备技术文件规定最高速度的 60% 低速运转 30min,然后再以正常速度运转 60min,应无异常;

2 各轴承温升不应高于 20℃;

3 空车最高速度运转时，主电机输入功率不应大于额定功率；

4 空车最高速度运转时，床身基准平面下 100mm 处外侧双向振幅指标应符合设备技术文件的规定；

5 空车最高速度运转时，噪声指标应符合设备技术文件的规定；

6 坯布不应有因机器本身的原因而引起的横条和纵条，由机器本身引起坯布外观的疵点个数，平均疵点数每 10m 长不得超过 1 个，且应在 60m 正常编织的坯布中检测。疵点应包括漏针、花针、坏针、机械引起的断头、吊针等。

9.4.9 多梳栉拉舍尔经编机的试运转应符合下列规定：

1 设备试运转中应先寸行运转，再以不高于设备技术文件规定最高速度的 60% 低速运转 30min，然后再以正常速度运转 60min，应无异常；

2 各轴承温升不应高于 20℃；

3 空车最高速度运转时，主电机输入功率不应大于额定功率；

4 空车最高速度运转时，床身基准平面下 100mm 处外侧双向振幅指标应符合设备技术文件的规定；

5 空车最高速度运转时，噪声指标应符合设备技术文件的规定；

6 坯布不应有因机器本身的原因而引起的横条和纵条，由机器本身引起坯布外观的疵点个数，平均疵点数每 4.5m 长不得超过 1 个。疵点应包括漏针、花针、坏针、机械引起的断头、吊针等。

9.4.10 贾卡提花拉舍尔经编机的试运转应符合下列规定：

1 设备试运转中应先寸行运转，再以不高于设备技术文件规定最高速度的 60% 低速运转 30min，然后再以正常速度运转 60min，应无异常；

2 各轴承温升不应高于 20℃；

· 53 ·

3 空车最高速度运转时,主电机输入功率不应大于额定功率;

4 空车最高速度运转时,床身基准平面下 100mm 处外侧双向振幅指标应符合设备技术文件的规定;

5 空车最高速度运转时,噪声指标应符合设备技术文件的规定;

6 坯布不应有因机器本身的原因而引起的横条和纵条,由机器本身引起坯布外观的疵点个数,平均疵点数每 10m 长不得超过 1 个,且应在 60m 正常编织的坯布中检测。疵点应包括漏针、花针、坏针、机械引起的断头、吊针等。

9.4.11 双针床拉舍尔经编机的试运转应符合下列规定:

1 设备试运转中应先寸行运转,再以不高于设备技术文件规定最高速度的 60% 低速运转 30min,然后再以正常速度运转 60min,应无异常;

2 各轴承温升不应高于 20℃;

3 空车最高速度运转时,主电机输入功率不应大于额定功率;

4 空车最高速度运转时,床身基准平面下 100mm 处外侧双向振幅指标应符合设备技术文件的规定;

5 空车最高速度运转时,噪声指标应符合设备技术文件的规定;

6 坯布不应有因机器本身的原因而引起的横条和纵条,由机器本身引起坯布外观的疵点个数,公称宽度/代号不大于 266cm/105,平均疵点数每 10m 长不得超过 1 个,公称宽度/代号大于 266cm/105,平均疵点数每 8m 长不得超过 1 个。疵点应包括漏针、花针、坏针、机械引起的断头、吊针等。

9.4.12 无缝成形经编机的试运转应符合下列规定:

1 设备试运转中应先寸行运转,再以不高于设备技术文件规定最高速度的 60% 低速运转 30min,然后再以正常速度运转

・54・

60min,应无异常；

2 各轴承温升不应高于 20℃；

3 空车最高速度运转时，主电机输入功率不应大于额定功率；

4 空车最高速度运转时，床身基准平面下 100mm 处外侧双向振幅指标应符合设备技术文件的规定；

5 空车最高速度运转时，噪声指标应符合设备技术文件的规定；

6 坯布不应有因机器本身的原因而引起的横条和纵条，正品率不应低于 95%。

9.4.13 双轴向经编机的试运转应符合下列规定：

1 应先低速运转 0.5h，再逐步提高速度至 800r/min～1000r/min 运转，运转时间不得少于 4h；

2 成圈运动应正确，应无擦针、漏针现象；

3 气路中应无漏气现象，减压阀输出压力应稳定，电磁阀动作应稳定可靠；

4 空车最高速度运转时，床身基准平面下 100mm 处外侧双向振幅指标应符合设备技术文件的规定；

5 空车最高速度运转时，噪声指标应符合设备技术文件的规定；

6 0°衬经时衬经纱架至车头衬经片间应纱路清晰、无干涉；

7 90°铺纬时机器应运行平稳，铺纬应准确可靠，并应无重纬、漏纬现象；

8 气动执行元件动作应准确、可靠；

9 织物编织质量应保证布面清晰，织物面内应无破洞、漏针、明显横条和直条；

10 织物卷取应对边齐整。

9.4.14 多轴向经编机的试运转应符合下列规定：

1 应先低速运转 0.5h，再逐步提高速度至 800r/min～

· 55 ·

1000r/min 运转,运转时间不得少于 4h;

2 送经、牵拉、卷取机构与主轴运行应同步、平稳;

3 铺纬角度根据织物要求在±45°至 90°范围可任意选择搭配,并应角度可调,铺纬应准确、可靠,并应无重纬、漏纬现象;

4 空车最高速度运转时,床身基准平面下 100mm 处外侧双向振幅指标应符合设备技术文件的规定;

5 空车最高速度运转时,噪声指标应符合设备技术文件的规定;

6 气路应无漏气现象,减压阀输出压力应稳定,电磁阀动作应可靠;

7 织物编织质量应保证布面清晰,织物面内应无破洞、漏针、明显横条和直条;

8 气动执行元件动作应准确、可靠;

9 梳栉摆动连杆在轴上摆动应灵活;

10 分散辊、切割辊及被动聚氨酯辊应转动灵活、无卡阻现象;

11 横移游动装置左右往复运动应灵活、无顿挫现象;

12 织物卷取应对边齐整;

13 短切纤维应分布均匀,织物单位面积克重应符合设备技术文件的规定。

9.4.15 缝编机的试运转应符合下列规定:

1 应先低速运转 0.5h,再逐步提高速度至 600r/min~800r/min运转,运转时间不得少于 4h;

2 90°铺纬运行应平稳,铺纬应准确、可靠,并应无重纬、漏纬现象;

3 成圈运动轨迹应正确,应无擦针、漏针现象;

4 气路应无漏气现象,减压阀输出压力应稳定,电磁阀动作应稳定可靠;

5 空车最高速度运转时,床身基准平面下 100mm 处外侧双向振幅指标应符合设备的技术文件的规定；

6 空车最高速度运转时,噪声指标应符合设备的技术文件的规定；

7 织物编织质量应保证布面清晰,织物面内应无破洞、漏针、明显横条和直条；

8 织物卷取应对边齐整；

9 短切纤维应分布均匀,织物单位面积克重应符合设备行业标准规定的要求。

9.4.16 针织开幅丝光机的试运转应符合下列规定：

1 工作速度和轧车的线压力应符合工艺要求；

2 剥边器应灵活、有效,并应具有良好的展边作用；

3 针织物的横向张力应均匀,左、中、右织物单位面积克重差不应大于 $5g/m^2$。

9.4.17 水洗箱的试运转应符合下列规定：

1 导布辊机械密封应良好、无渗漏；

2 槽体密封应良好、无渗漏；

3 气动控制元件动作应灵活；

4 温度应符合工艺要求。

9.4.18 染色机的试运转应符合现行国家标准《印染设备工程安装与质量验收规范》GB 50667 的有关规定。

9.4.19 印花机的试运转应符合现行国家标准《印染设备工程安装与质量验收规范》GB 50667 的有关规定。

9.4.20 圆网烘燥机的试运转应符合下列规定：

1 散热器和蒸汽管路不得有渗漏现象；

2 烘房温度应达到 110℃；

3 工作速度应符合工艺要求；

4 风机运行应正常,并应无明显振感；

5 蒸汽和功率消耗应符合设备行业标准的技术要求；

6 穿布运行时,织物表面应平整、无皱纹和跑偏现象。

9.4.21 呢毯预缩整理机的试运转应符合下列规定：

1 机器运行速度、超喂速度应满足工艺要求；

2 气动控制元件动作应灵活、轻便、准确，气缸不应有爬行现象；

3 张力调节装置和纠偏装置应灵敏可靠；

4 加热承压辊左、中、右温差不应大于 3℃；

5 穿布运行时，织物表面应平整、无皱纹和跑偏现象。

9.4.22 圆筒定形机的试运转应符合下列规定：

1 设备的运行速度应满足工艺要求；

2 气动控制元件动作应灵活、轻便、准确，气缸不应有爬行现象；

3 烘筒左、中、右温差不应大于 3℃；

4 喷风口喷风应均匀，并应满足工艺要求。

9.4.23 拉幅定形机的试运转应符合现行国家标准《印染设备工程安装与质量验收规范》GB 50667 的有关规定。

9.4.24 验布机的试运转应符合下列规定：

1 布卷的侧边应平齐；

2 验布机织物张力应保持无张力或张力恒定。

9.4.25 绒类织物剖幅机的试运转应符合下列规定：

1 剖割刀的工作线速度应为 350m/min～380m/min；

2 剖割刀磨窄后，刀架应能进行水平调节对位；

3 剖割坯布正常的工作速度应为 1m/min～5m/min；

4 剖割可无级调速；

5 出绒速度应能调节；

6 出绒速度应与牵引针辊速度同步。

9.4.26 缝头机的试运转应符合下列规定：

1 接缝应平齐，缝隙应均匀；

2 缝头机运行速度应满足工艺要求；

3 缝合尺寸的切换应方便、自如。

9.4.27 缝盘机的试运转应符合下列规定：

    1 缝盘机应运行平稳,运行速度应满足工艺要求；

    2 线迹密度应均匀,排列应整齐,缝线松紧应一致,缝线应坚固、光洁；

    3 缝合处,缝迹应无跳针、断线和浮线,并应能有效防止缝制品边缘的脱散和掉纱。

10 安装工程验收

10.0.1 设备安装及试运转完成后,应进行工程验收。验收应具备设备安装各工序中的安装检验记录、试运转记录和合同中规定的检验内容资料。

10.0.2 安装工程质量不符合要求时,应及时处理或返工,并应重新进行验收。

10.0.3 安装工程质量不符合要求,并经处理和返工仍不能满足安全使用要求时,不应验收。

本规范用词说明

1 为便于在执行本规范条文时区别对待,对要求严格程度不同的用词说明如下:

    1)表示很严格,非这样做不可的:

        正面词采用"必须",反面词采用"严禁";

    2)表示严格,在正常情况下均应这样做的:

        正面词采用"应",反面词采用"不应"或"不得";

    3)表示允许稍有选择,在条件许可时首先应这样做的:

        正面词采用"宜",反面词采用"不宜";

    4)表示有选择,在一定条件下可以这样做的,采用"可"。

2 条文中指明应按其他有关标准执行的写法为:"应符合……的规定"或"应按……执行"。

引用标准名录

《机械设备安装工程施工及验收通用规范》GB 50231

《印染设备工程安装与质量验收规范》GB 50667

《机械电气安全　机械电气设备　第 1 部分:通用技术条件》GB 5226.1

《纺织机械　安全要求　第 1 部分:通用要求》GB/T 17780.1

《纺织机械　安全要求　第 4 部分:纱线和绳索加工机械》GB/T 17780.4

《纺织机械　安全要求　第 5 部分:机织和针织准备机械》GB/T 17780.5

《纺织机械　安全要求　第 6 部分:织造机械》GB/T 17780.6

中华人民共和国国家标准

针织设备工程安装与质量验收规范

GB/T 51089 - 2015

条 文 说 明

制 订 说 明

《针织设备工程安装与质量验收规范》GB/T 51089—2015,经住房城乡建设部 2015 年 2 月 2 日以第 732 号公告批准发布。

本规范制订过程中,编制组进行了认真细致的调查研究,总结了我国针织设备工程建设的实践经验,将经实践检验、技术成熟、经济合理的技术指标纳入本规范,同时参考了国外同行的先进法规、技术标准,确定了本规范的各项技术参数。

为了便于广大设计、施工、科研、学校等单位有关人员在使用本规范时能正确理解和执行条文规定,本规范编制组按章、节、条顺序编制了本规范的条文说明,对条文规定的目的、依据以及执行中需注意的有关事项进行了说明。但是,本条文说明不具备与规范正文同等的法律效力,仅供使用者作为理解和把握规范规定的参考。

目　　次

1　总　　则 ……………………………………………（69）

2　基本规定 ……………………………………………（70）

　2.1　设备基础、垫铁 …………………………………（70）

3　通用项目的安装要求 ………………………………（71）

　3.1　机械部分 …………………………………………（71）

　3.3　电气部分 …………………………………………（71）

4　准备部分主要设备的安装 …………………………（72）

　4.1　络筒机 ……………………………………………（72）

5　纬编织造部分主要设备的安装 ……………………（73）

　5.1　圆型纬编机 ………………………………………（73）

　5.2　袜机 ………………………………………………（73）

　5.3　纬编无缝内衣机 …………………………………（74）

　5.4　横机 ………………………………………………（75）

6　经编织造部分主要设备的安装 ……………………（77）

　6.1　特里科经编机 ……………………………………（77）

　6.2　拉舍尔经编机 ……………………………………（77）

　6.3　轴向经编机 ………………………………………（78）

　6.4　缝编机 ……………………………………………（79）

9　设备的试运转 ………………………………………（80）

　9.4　主要设备的试运转要求 …………………………（80）

10　安装工程验收 ………………………………………（81）

· 67 ·

1 总 则

1.0.1 本条阐明了编制本规范的目的。

1.0.2 本条明确了本规范的适用范围。

1.0.3 本条反映了其他相关标准、规范的作用。

2 基 本 规 定

2.1 设备基础、垫铁

2.1.2 本条规定了设备就位时基础强度的最小值,只有达到该值,才能承受设备安装时吊装、就位产生的动负荷、静负荷要求。设备安装时达不到设计的混凝土立方体抗压强度标准值的75%以上时,安装时可能会造成设备基础的潜在性损坏,将给今后的正常生产留下隐患。

3 通用项目的安装要求

3.1 机 械 部 分

3.1.9 本条所述符合现行国家标准《机械设备安装工程施工及验收通用规范》GB 50231 的有关规定是指联轴器、密封件、螺栓、键、定位销、轴承、蜗轮蜗杆、链传动、凸轮和转子等的具体装配要求。

3.3 电 气 部 分

3.3.2 电气柜防护等级不应低于 IP54 的防护等级。IP 是国际用来认定防护等级的代号,第 1 个数字表示电器防止外物侵入的等级,第 2 个数字表示电器防湿气、防水侵入的密闭程度,数字越大表示其防护等级越高。IP54 中的 5 是防止外物及灰尘侵入,虽不能完全防止灰尘侵入,但灰尘的侵入量不会影响电器的正常运作,IP54 中的 4 是防止飞溅的水侵入,防止各个方向飞溅而来的水侵入电器而造成损坏。本条是对电气柜防尘、防水性能的要求,确保其安全性。

3.3.5 本条所述电气设备的安全性能应符合现行国家标准《机械电气安全 机械电气设备 第 1 部分:通用技术条件》GB 5226.1—2008 的有关规定是指电气设备的连接和布线应符合该规范第13.1条的规定,导线标识应符合该规范第13.2条的规定,保护联结电路的连续性应符合该规范第18.2.2条的规定,绝缘性能应符合该规范第18.3条的规定,耐压性能应符合该规范第18.4条的规定。电气设备的安全性能涉及人身和财产安全,在设计及安装中应引起高度重视,避免发生重大事故,做到防患于未然。

· 71 ·

4 准备部分主要设备的安装

4.1 络 筒 机

4.1.2 本条表 4.1.2 中第 4 项机架左侧面全长直线度的测量方法是用拉线法在左侧加工面用直尺进行测量。

5 纬编织造部分主要设备的安装

5.1 圆型纬编机

Ⅰ 通用要求

5.1.2 本条表5.1.2中第1项所述"机脚台面水平度"的检验方法为：将水平仪放置在三机脚中间位置进行测量，即在机器的三处机脚附近的大台面分别进行测量。若水平偏差大于标准值，则通过调整机脚水平度调整螺丝及在大圆机的机脚处垫入垫铁（需要时）把台面调平，以达到标准值范围内。此台面属于圆型纬编机整机安装的一个基础基准，若此台面与机脚的水平度及稳固性有误差，将会导致后续相应基准的偏差。

Ⅱ 单面圆型纬编机

5.1.3 本条规定适用于单面圆型纬编机，单面调线机和单面提花机可参考执行。

Ⅲ 双面圆型纬编机

5.1.4 本条规定适用于双面圆型纬编机，双面调线机和双面提花机可参考执行。

5.2 袜 机

Ⅰ 通用要求

5.2.2 本条对传动部件的安装作出规定。

1 本款是对齿轮的轴向间隙作出的规定。齿轮的轴向间隙如未达到设计要求，将直接影响离合器的换向要求。

2 本款是对离合器的安装要求，其安装可否达标，可通过用手摇动机器感觉是否有过重现象来检测。离合器换向不轻便、有阻滞现象，手摇动机器有过重现象，反映出传动部件在装配过程中未达到设计要求,会导致袜机无法正常运转或运转后局部零件磨损严重。

5.2.3 本条对选针部件的安装作出规定。

1 本款是对选针刀片的工作质量要求作出的规定。袜机在高速运转过程中,对选针器的灵敏度要求极高,会因选针器刀片动作不正确、不灵活导致选针器刀片动作频率跟针筒的高速转动不同步,出现错花、乱花现象,降低袜坯品质。

2 提花针在袜机运行时通常有两个状态:一是沿着提花针三角轨道运动,二是被选针刀头推入针槽内不运动,从而完成袜坯的编织工艺要求;如果提花针未被选针刀头充分推入针槽内,会出现提花针针踵损坏或袜坯乱花、错花现象,从而无法保证袜坯品质。

3 本款是对各选针刀片与提花针接触面宽度作出的规定。选针刀片与提花针齿接触时,提花针顺着选针刀片斜面被推入针槽内,接触面的大小直接影响选针的准确性和刀片的使用寿命。

5.3 纬编无缝内衣机

Ⅰ 通用要求

5.3.1 本条对纬编无缝内衣机的安装作出规定。

1 本款是对沉降片罩部分的安装质量作出的规定。沉降片三角座靠活动的轴承承载于针筒上,在做某些工艺的织物时,要靠气阀推动沉降片三角座沿周向活动配合完成特殊工艺组织的编织。

4 本款是对坏针、断针及张力自停装置的工作质量作出的规定。检测装置的灵敏度直接影响布面质量,坏针装置检测针舌的活络,断针装置检测针踵的好坏,张力自停装置检测纱线的张力情况,在有断纱和纱线停止喂入织针时,检测装置应保证立即停机,减少瑕疵布的产生量。

8 本款是对选针刀头的工作质量的要求。选针刀头的安装,在不提花时应落在提花齿之间,否则会出现错花现象,不能正常完

· 74 ·

成选针提花工作。

Ⅱ　无扎口纬编无缝内衣机

5.3.3　本条第 1 款是对超花闸刀的安装质量作出的规定。超花闸刀与降针三角合成曲线是针的退圈曲线,如与起针曲线不拟合,会使织针突然升起,织针受到严重的冲击,甚至导致织针撞断。

5.4　横　　机

Ⅰ　通用要求

5.4.1　本条规定了横机安装的基本要求。

　2　本款第 2 项是对导向三角的安装质量提出的要求。左、右弯纱三角位置的对称性直接影响织物的质量,因此在调试设备时一定要检查,如发现网眼不清晰等现象,应通知相关部门进行检查。可用卡尺和目测来检查。

　6　对调梭控制装置动作的考核,是指对所有梭子进行测试,连续测试 20 次,不得有误,表明调梭装置安装合适,否则应重新调整。

　7　对针床横移控制装置的质量考核,是指对所有摇床位置按指令进行测试,连续测试 20 次,不得有误,表明针床横移控制装置安装合适,否则应重新调整。

　8　对密度调节装置的质量考核,是指对所有密度电机按指令进行的测试,连续测试 20 次,不得有误,表明密度调节装置安装合适,否则应重新调整。

5.4.2　表 5.4.2 中第 5 项所述三角平面与针床平面间隙在全程范围内间隙差的指标要求是针对同一台机的要求。

Ⅱ　电脑横机

5.4.3　本条第 1 款规定了电脑横机推针三角和清针三角换向伸缩状态要求。推针三角和清针三角换向伸缩正确、顺畅,表明三角安装合适,否则应重新调整。

5.4.4　表 5.4.4 中第 4 项起底装置升降导轨的平行度的检验方

· 75 ·

法中所述的"专用工具",是指专用角尺和专用深度器。专用角尺是对升降导轨平行度的检测,专用深度器是对基准面安装尺寸的检测。升降导轨的平行度未达到设计要求,起底板动作将无法顺利完成。检测时,左、右升降导轨均应进行检验。

Ⅳ 手套编织机

5.4.6 本条第 3 款第 4 项是对前、后滚筒相对位置的质量要求作出的规定。前、后滚筒相对位置直接影响产品的质量和设备的稳定与使用寿命,因此对滚筒位置要进行必要的检查,前、后滚筒所对应的织针不应有超前或滞后现象,如有偏差,应调整合适。

6 经编织造部分主要设备的安装

6.1 特里科经编机

6.1.1 本条第 4 款中所述"减振螺栓组件不得扭曲"是指减振螺栓组件由橡胶柱及两端的螺杆组成,螺杆嵌入橡胶柱中,分内螺纹和外螺纹两种,橡胶柱和螺杆同一中心线。安装减振螺栓时应使被联接体安装孔调整成同一中心线,避免减振螺栓橡胶柱扭曲。

6.1.2 表 6.1.2 中第 3 项中"经轴架各墙板上分段经轴安装孔中心线的同轴度"的检验方法所述的"专用检具"是指带尺寸刻度的专用工装。采用拉线法,利用工装上的尺寸刻度检查经轴安装孔位置拉线的偏移量是否符合安装要求。机器运行时,为保证同一梳栉的两根经轴的中心线符合"≤ϕ2.00mm"的安装要求,在安装调试机器时,需对支撑经轴的头尾墙板及中墙板进行检查,主要检查经轴安装孔中心线的同轴度。

6.2 拉舍尔经编机

Ⅰ 单针床拉舍尔经编机

6.2.1 本条第 4 款规定的理由同本规范第 6.1.1 条第 4 款的条文说明。

6.2.2 表 6.2.2 中第 4 项,采用"专用检具检测"的说明同本规范表 6.1.2 中第 3 项的条文说明。

Ⅱ 多梳栉拉舍尔经编机

6.2.3 本条第 4 款规定的理由同本规范第 6.1.1 条第 4 款的条文说明。

6.2.4 表 6.2.4 中第 4 项,采用"专用检具检测"的说明同本规范

表 6.1.2 中第 3 项的条文说明。

Ⅲ　贾卡提花拉舍尔经编机

6.2.5　本条第 4 款规定的理由同本规范第 6.1.1 条第 4 款的条文说明。

6.2.6　表 6.2.6 中第 4 项,采用"专用检具检测"的说明同本规范表 6.1.2 中第 3 项的条文说明。

表 6.2.6 中第 8 项所述"技术文件"是指生产厂家提供的相关技术资料,如产品说明书、图纸、合同等。

Ⅳ　双针床拉舍尔经编机

6.2.7　本条第 4 款规定的理由同本规范第 6.1.1 条第 4 款的条文说明。

6.2.8　表 6.2.8 中第 4 项,采用"专用检具检测"的说明同本规范表 6.1.2 中第 3 项的条文说明。

表 6.2.8 中第 9、11 项检测方法为:将带百分表的测量架固定在摆轴上,在针摆摆臂附近的前后脱圈板上检测前后脱圈板齿面侧面和顶面对摆轴轴线平行度,测点各取三处以上。

Ⅴ　无缝成形经编机

6.2.9　本条第 4 款规定的理由同本规范第 6.1.1 条第 4 款的条文说明。

6.2.10　表 6.2.10 中第 4 项采用"专用检具检测"的说明同本规范表 6.1.2 中第 3 项的条文说明。

表 6.2.10 中第 9、10 项检测方法为:将带百分表的测量架固定在摆轴上,在针摆摆臂附近的前后脱圈板上检测前后脱圈板齿面侧面和顶面对摆轴轴线平行度,测点各取三处以上。

6.3　轴向经编机

Ⅰ　双轴向经编机

6.3.1　本条第 5 款规定的理由同本规范第 6.1.1 条第 4 款的条文说明。

Ⅱ 多轴向经编机

6.3.3 本条第 5 款规定的理由同本规范第 6.1.1 条第 4 款的条文说明。

6.4 缝 编 机

6.4.4 本条规定的理由同本规范第 6.1.1 条第 4 款的条文说明。

9 设备的试运转

9.4 主要设备的试运转要求

9.4.2 本条第 1 款中第 4 项所述"张力平衡罗拉"是指整经设备中置于集纱板后,用于平衡纱线张力的独立部件。

9.4.7 本条对特里科经编机的试运转作出规定。

1 本款所述"最高速度"是指随机至用户的技术文件中要求的设计转速,如说明书等所确定的设计速度,并应在工艺组织相对简单,符合技术文件所要求的编织环境和纱线的条件下进行。

所述的"正常速度",是指设备试运转时,应在最高速度的60%运转 30min,再根据用户实际情况(环境、纱线、工艺组织等)来确定的编织速度。

9 坯布门幅公差检验方法为:在牵拉辊出口处检查。

10 坯布密度公差检验方法为:在针钩到牵拉辊之间的坯布上检查。

12 坯布外观疵点检验方法为:检验坯布的正面。

9.4.8 本条第 1 款所述"最高速度"、"正常速度"的说明同本规范第 9.4.7 条第 1 款的条文说明。

9.4.9 本条第 1 款所述"最高速度"、"正常速度"的说明同本规范第 9.4.7 条第 1 款的条文说明。

9.4.10 本条第 1 款所述"最高速度"、"正常速度"的说明同本规范第 9.4.7 条第 1 款的条文说明。

9.4.11 本条第 1 款所述"最高速度"、"正常速度"的说明同本规范第 9.4.7 条第 1 款的条文说明。

10 安装工程验收

10.0.1 本条提出了工程验收要求,并对工程验收时应具备的资料作了规定。